Guide **Microapp**

D1622481

Adobe®
Photoshop®
Album

Micro
Application

Copyright   © 2003   Micro Application
                                  20-22, rue des Petits-Hôtels
                                  75010 Paris

                       1ère Édition - Mai 2003

Auteur   Gilles BOUDIN

Toute représentation ou reproduction, intégrale ou partielle, faite sans le consentement de MICRO APPLICATION est illicite (Loi du 11 mars 1957, article 40, 1er alinéa).
Cette représentation ou reproduction illicite, par quelque procédé que ce soit, constituerait une contrefaçon sanctionnée par les articles 425 et suivants du Code pénal.
La Loi du 11 mars 1957 n'autorise, aux termes des alinéas 2 et 3 de l'article 41, que les copies ou reproductions strictement réservées à l'usage privé du copiste et non destinées à l'utilisation collective d'une part, et d'autre part, que les analyses et les courtes citations dans un but d'exemple et d'illustration.

Avertissement aux utilisateurs

"Les informations contenues dans ce produit sont données à titre indicatif et n'ont aucun caractère exhaustif voire certain. A titre d'exemple non limitatif, ce produit peut vous proposer une ou plusieurs adresses de sites Web qui ne seront plus d'actualité ou dont le contenu aura changé au moment où vous en prendrez connaissance.
Aussi, ces informations ne sauraient engager la responsabilité de l'Editeur. La société MICRO APPLICATION ne pourra être tenue responsable de toute omission, erreur ou lacune qui aurait pu se glisser dans ce produit ainsi que des conséquences, quelles qu'elles soient, qui résulteraient des informations et indications fournies ainsi que de leur utilisation".

ISBN : 2-7429-3045-0

Tous les produits cités dans cet ouvrage sont des marques déposées de leur société respective.

MICRO APPLICATION
20-22, rue des Petits-Hôtels
75010 PARIS
Tél : 01 53 34 20 20 - Fax : 01 53 34 20 00
http://www.microapp.com

Support technique :
Fax : 01 53 34 20 00
également disponible sur le site
www.microapp.com

Mister O'net, l'homme à la référence, vous montre le chemin !

Rendez-vous sur le site Internet de Micro Application **www.microapp.com**. Dans le module de recherche, sur la page d'accueil du site, retrouvez **Mister O'net**. Dans la zone de saisie, entrez la référence à 4 chiffres qu'il vous indique sur le présent livre. Vous accédez directement à la fiche produit et, le cas échéant, aux exemples de ce livre.

Recherche
4045

Avant-propos

Tout en couleur, la collection GUIDE MICROAPP vous accompagne dans votre découverte d'un logiciel ou d'une technologie informatique. Grâce à une approche résolument pratique, centrée autour de nombreux exemples pas à pas, elle vous permet de réussir vos premières prises en main et de réaliser des opérations concrètes, rapidement et facilement, sans connaissance préalable du sujet traité.

Les ouvrages de la collection sont basés sur une structure identique :

- Des étapes numérotées, associées à des captures d'écran, vous permettent de suivre et de reproduire pas à pas l'exemple étudié.

- Des informations complémentaires au sujet traité vous sont délivrées. Présentées sous forme d'encadrés, elles sont repérables par l'icône ▷.

- Des définitions vous permettent de comprendre les termes et abréviations relatifs au logiciel ou à la technologie étudiée. Présentées sous forme d'encadrés, elles sont identifiables par l'icône ▣.

Complète, la collection GUIDE MICROAPP vous délivre des outils innovants pour rendre l'apprentissage encore plus enrichissant et convivial :

Le coin des passionnés, pour tous ceux qui souhaitent approfondir leurs connaissances et aller plus loin dans leur utilisation du logiciel ou de la technologie étudiée.

Les Fiches pratiques, pour maîtriser en quelques clics une application précise.

Afin de faciliter la compréhension des techniques décrites, nous avons adopté les conventions typographiques suivantes :

- **Gras** : menu, commande, onglet, bouton
- *Italique* : rubrique, zone de texte, liste déroulante, case à cocher
- www.microapp.com : adresse Internet
- **Hotmail** : renvoi vers un encadré définition
- ⋯⟩ : marque le début d'un exemple pas à pas
- ▪ : marque la fin de l'exemple pas à pas
- ✁ : indique, dans les programmes, un retour à la ligne involontaire dû aux contraintes de la mise en page

Sommaire

Chapitre 4

Retouche d'images

Chapitre 5

Créations à partir d'images

Chapitre 6

Partager des images

Chapitre 7

Le coin des passionnés

3D, CD Vidéo, archivage

Fiches pratiques

Chapitre 1

Présentation
de l'interface

Au même titre que le lecteur de DVD, l'appareil photo numérique est le matériel le plus acheté à travers le monde. Rien de bien étonnant à cela : les coûts des appareils d'entrée de gamme baissent avec régularité pour devenir de plus en plus attractifs. Quant aux périphériques de numérisation, leurs prix ont chuté aussi abruptement que les appareils photos se sont démocratisés. De plus en plus de configurations informatiques sont vendues en grandes surfaces déjà pourvues de scanners.

Avec la démocratisation de ces appareils, l'ordinateur se transforme peu à peu en une formidable banque d'images. De plus, une navigation régulière sur Internet permet aux internautes curieux de récupérer d'autres images. Il suffit d'un simple clic sur le bouton droit de la souris pour sauvegarder sur un disque dur une image au format JPG. Cette multiplication des images sur les disques durs contribue à accentuer chaque jour le joyeux capharnaüm que représentent les fichiers numériques enregistrés.

Pour vous aider à remédier à ces problèmes d'organisation, de reconnaissance et de classement, Adobe a créé Adobe Photoshop Album. Héritier d'une prestigieuse lignée dont le chef de famille est l'illustre Photoshop 7, l'outil de retouche d'images destiné aux professionnels, Photoshop Album est une application grand public dédiée aux amateurs de photographies. Fort d'une expérience mondialement reconnue, Adobe a mis tout son savoir-faire dans la conception de ce logiciel, qui facilite la navigation parmi de nombreuses images. Ainsi, avec Photoshop Album, vous pourrez organiser et classer vos fichiers de manière à faciliter leur visibilité à l'écran. Vous pourrez également les partager, les imprimer ou les compiler dans de splendides créations numériques. Cet outil a été conçu avec soin pour vous offrir le meilleur rapport entre simplicité et qualité. Quant à ce guide, il vous permettra d'optimiser au mieux votre nouveau logiciel.

L'enregistrement du logiciel

⋯▷ **1** Après l'installation du logiciel Adobe Photoshop Album, double-cliquez sur l'icône qui s'est affichée automatiquement sur le Bureau de votre ordinateur. L'application s'ouvre sur une première fenêtre vous proposant d'enregistrer votre logiciel.

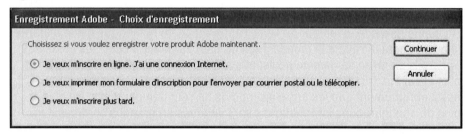

2 Enregistrer le logiciel auprès de l'éditeur Adobe n'est pas une obligation. Cette démarche permet à Adobe de vous adresser des courriers électroniques promotionnels. Si vous choisissez de vous enregistrer via Internet, sélectionnez la première option et cliquez sur **Continuer**. Votre connexion au Web s'opère automatiquement et votre navigateur affiche la page dédiée aux inscriptions.

3 Vous pouvez également décider d'imprimer un formulaire à poster ou de reporter cet enregistrement à une date ultérieure. Pour rouvrir cette fenêtre, activez le menu **Aide/Enregistrement**.

4 Quel que soit votre choix, une interface épurée s'offre à vous.

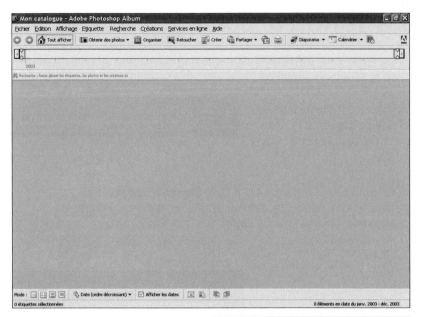

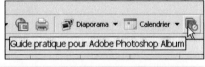

5 Vous allez tout de suite afficher une fenêtre qui ne vous quittera plus : le **Guide pratique**. Cliquez, à l'extrémité de la barre d'outils, sur l'icône représentant un livre et un chronomètre, nommée *Guide pratique pour Adobe Photoshop Album*.

6 Cette fenêtre est la rampe de lancement idéale pour tout travail sous Photoshop Album. ■

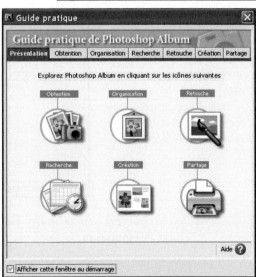

La fenêtre Guide pratique

Cette fenêtre est essentielle. Vous la retrouverez tout au long de cet ouvrage. Elle permet de lancer toutes les fonctionnalités du logiciel en quelques clics de souris.

···> **1** Au sommet de la fenêtre **Guide pratique** réside une barre où figurent sept onglets.

2 Le premier d'entre eux est intitulé **Présentation** et affiche un groupe de six icônes, chacune menant à des fonctions précises du logiciel. Passez le curseur de votre souris sur ces icônes. Le cercle orange devient bleu au contact de la souris. On appelle cet effet un « rollover ».

3 Cliquez sur l'icône *Obtention*. L'écran de la fenêtre change : vous êtes entré dans la partie dédiée à la recherche de vos images dans Photoshop Album, comme l'indique l'onglet **Obtention**, sélectionné dans la barre d'onglets. Nous verrons cette partie plus en détail au chapitre suivant. Notez toutefois l'éventail de possibilités que le logiciel met à votre disposition pour retrouver vos clichés.

4 Pour revenir au sommaire de la fenêtre **Guide pratique**, cliquez sur l'onglet **Présentation**.

5 Cliquez maintenant sur la deuxième icône, nommée *Organisation*.

6 Un nouvel écran s'affiche qui vous guidera dans l'organisation de vos images en leur attribuant des étiquettes. Là encore, nous verrons plus tard comment utiliser cette fonctionnalité et ce qu'est une étiquette, élément clé de Photoshop Album.

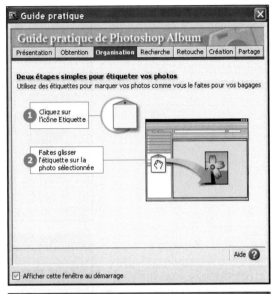

7 Cliquez sur l'onglet **Retouche**. Notez qu'il n'est pas obligatoire de repasser par l'onglet **Présentation** pour naviguer d'une section à une autre. L'onglet **Retouche** est destiné à améliorer la qualité graphique de vos photos.

Lisez à ce sujet le chapitre *Retouche d'images*.

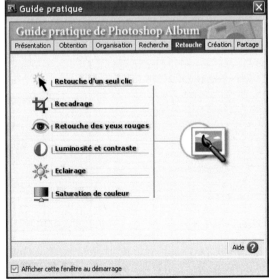

8 Cliquez sur l'onglet **Création**. Vous obtenez un aperçu du potentiel créatif de votre logiciel. Créations pour des impressions papier ou créations en vue d'une publication sur Internet : voilà tout un éventail pour laisser libre cours à vos talents artistiques.

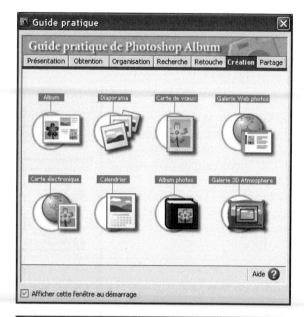

9 L'onglet **Partage** est dédié à l'impression d'images ou de créations, et à leur envoi sur Internet.

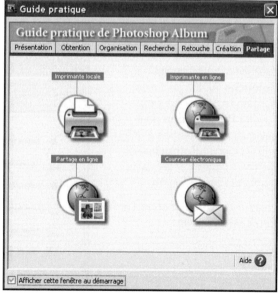

10 Dans l'angle inférieur droit de la fenêtre **Guide pratique** réside un bouton d'aide.

11 Ce bouton lance un mini-site web qui a été enregistré sur votre disque dur en même temps que les fichiers d'installation de Photoshop Album. Ce site est consultable en mode hors connexion et se veut une aide exhaustive consacrée au logiciel d'Adobe.

12 Vous avez sans doute remarqué la petite case dans  l'angle inférieur gauche de la fenêtre **Guide pratique**.
Laissez cette case cochée si vous souhaitez que la fenêtre **Guide pratique** s'ouvre à chaque lancement du programme. Si vous préférez qu'elle ne s'affiche plus, décochez la case. Cette fenêtre est par ailleurs accessible d'un simple clic depuis l'interface principale de Photoshop Album. Nous y reviendrons par la suite.

13 Fermez la fenêtre **Guide pratique** en cliquant sur la croix, dans l'angle supérieur droit de l'interface. ■

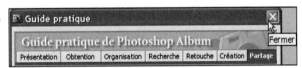

L'interface générale

Vous vous retrouvez devant l'interface générale de votre logiciel de visualisation d'images numériques. Celle-ci est vide puisque vous n'avez pas encore importé la moindre photographie.

1 Avant de la parcourir dans le détail, vous allez ouvrir la fenêtre **Etiquettes**, élément incontournable de Photoshop Album. Pour ce faire, activez le menu **Affichage/Etiquettes**.

2 L'interface de base s'affiche. Elle vous accompagnera tout au long de vos travaux sous Photoshop Album.

■ La barre de menus, forte de huit entrées, permet d'accéder à toutes les commandes proposées par la fenêtre **Guide pratique**, ainsi qu'à de nombreuses autres fonctions.

■ La barre d'outils horizontale permet, d'un clic de souris, de lancer une fonction définie. Cette barre d'outils est un résumé des fonctions déjà présentes dans la fenêtre **Guide Pratique**.

■ À l'extrémité droite de la barre d'outils réside un bouton aux couleurs d'Adobe. Il lance une connexion Internet qui vous dirige directement vers le site de l'éditeur de Photoshop Album.

■ La frise est utile si vous souhaitez retrouver vos images grâce à leurs dates de création.

■ La fenêtre verticale des étiquettes est le cœur du processus d'organisation de vos images. C'est à partir de cette fenêtre que vous créerez et gérerez vos images.

■ La fenêtre **Conseils** propose des trucs et astuces relatifs aux étiquettes. Elle ne vous sera plus très utile à mesure que vous utiliserez le logiciel. Vous pourrez la masquer à l'aide de la croix située dans l'angle supérieur droit.

■ L'espace central est l'espace de visualisation de vos images.

■ Il est possible de visualiser les images selon quatre formats, allant de la petite vignette (pour un aperçu d'un très grand nombre d'images) jusqu'à l'affichage d'une seule image en grand format (pour valider vos travaux de réparation par exemple).

■ Le bouton de classement des images propose plusieurs méthodes pour afficher les clichés.

■ La case *Afficher les dates* permet d'afficher la date de création de chacune de vos images.

■ Le bouton d'affichage de l'espace de travail permet de lancer d'un clic l'interface de création adaptée à vos images.

■ Le bouton d'affichage des propriétés permet, une fois une image sélectionnée, de prendre connaissance de toutes ses caractéristiques techniques.

■ Les deux boutons de rotation donnent la possibilité de modifier le sens d'affichage des images. Ce bouton est particulièrement efficace pour les images prises en mode Portrait. ■

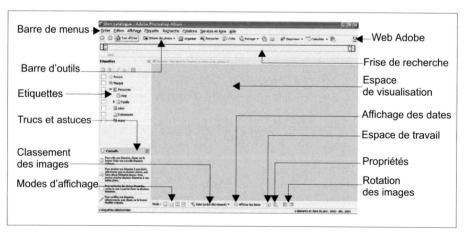

Chapitre 2

Acquisition
d'images

Vous allez apprendre à acquérir des images. Cette opération représente la base de tous vos futurs travaux de classement et de retouche. Il existe plusieurs méthodes pour acquérir des images : depuis un scanner, un appareil photo numérique, un CD-Rom ou encore via Internet. Dans ce dernier cas, les images sont soumises à une stricte réglementation quant aux droits d'auteur. Ainsi, une photo sur un site personnel répond aux mêmes critères de protection qu'une image publiée dans la presse. Quel que soit le média de départ, Adobe Photoshop Album propose un large éventail de possibilités pour vous permettre d'acquérir vos images.

Recherche sur un lecteur

Il est probable que nombre de vos images soient déjà sauvegardées sur votre disque dur. Dans ce cas, vous souhaitez les importer dans l'interface du logiciel afin de les visualiser. Disposant d'un outil de recherche apte à fouiller l'ensemble des dossiers de votre disque dur, Photoshop Album va trouver toutes vos images.

Si vous disposez d'une grande quantité d'images sur votre machine, sans savoir dans quels répertoires elles sont stockées, vous devez envisager une recherche sur l'intégralité de votre disque dur. Pour le moment, l'interface de visualisation est vide. Vous aller la remplir de façon à obtenir ceci :

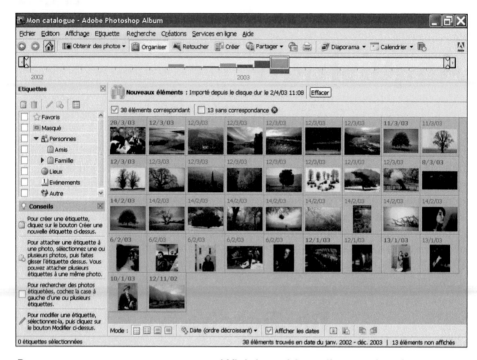

Pour commencer, voyons comment définir les critères d'une recherche :

1 Ouvrez la fenêtre **Guide pratique**, en cliquant sur l'icône appropriée en haut à droite de l'interface du logiciel.

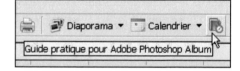

2 La palette d'outils correspondant à l'onglet **Présentation** est affichée par défaut. Cliquez sur l'onglet **Obtention**.

3 Cliquez sur l'icône *Recherche sur le disque*.

4 La boîte de dialogue **Obtenir des photos en recherchant des dossiers** s'affiche. C'est à partir de cette fenêtre que vous allez indiquer les critères de recherche à Photoshop Album, notamment en termes de localisation et de poids des fichiers.

5 Dans la rubrique *Options de recherche*, l'option sélectionnée par défaut dans la liste déroulante *Dans* est *Tous les disques durs*. Il s'agit d'une

recherche portant sur l'ensemble de vos disques durs. Choisissez cette option si votre machine dispose de plus d'un disque dur.

Vous êtes aussi libre de définir différentes étendues de recherche via

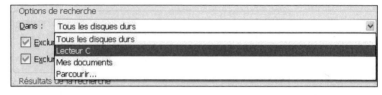

la liste déroulante *Dans*. Il suffit de choisir des emplacements tels que le *Lecteur C*, le répertoire *Mes documents*.

6 Laissez cochée la case *Exclure les dossiers système et des*

☑ Exclure les dossiers système et des programmes

programmes. Cela évitera au moteur de recherche de trouver des images glissées dans vos différents programmes (par exemple, les papiers peints du répertoire de Windows, les icônes des logiciels installés sur votre machine, les fichiers temporaires récoltés sur Internet…).

7 La case *Exclure les fichiers inférieurs à* permet de réduire le spectre des recherches en éliminant les images de petite taille, donc de basse résolution. Comme vous partez à la recherche de vos propres images, non encore optimisées, laissez la case *Exclure les fichiers inférieurs à* cochée et maintenez le ratio de tolérance à 100 Ko. N'importe quelle image capturée avec un appareil numérique a une taille supérieure, même s'il s'agit d'un appareil d'entrée de gamme.

▷
La taille des fichiers sur Internet

Si vous avez collecté des images sur Internet, leur poids a probablement été optimisé. Elles sont par conséquent très légères et d'un poids souvent inférieur à 100 Ko.

Si toutefois vous souhaitez étendre votre recherche aux images enregistrées lors de vos visites sur des sites web,

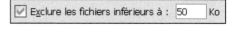

saisissez 50 dans la case *Exclure les fichiers inférieurs à*.

8 Cliquez sur le bouton **Rechercher** situé en haut à droite de la fenêtre. L'opération ne dure que quelques instants et dépend du nombre de photos présentes sur votre disque dur, de la taille de ce dernier, et de la célérité générale de votre machine. ■

La recherche est à présent terminée. Dans la rubrique *Résultats de la recherche* sont listés les dossiers

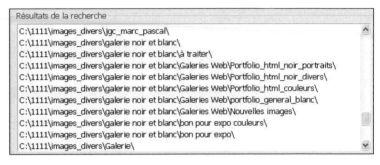

repérés par Photoshop Album. Leur emplacement est indiqué sous forme de chemin d'accès. Par exemple, la ligne *C:\Windows\Bureau* signifie que des images sont présentes sur votre Bureau.

Dans l'angle inférieur gauche de la rubrique *Résultats de la recherche* est indiqué le nombre de fichiers trouvés.

1568 fichiers trouvés

Pour « naviguer » à travers ces résultats, vous disposez de plusieurs méthodes :

■ Soit vous cliquez sur l'un des répertoires listés. Il est alors surligné en bleu.

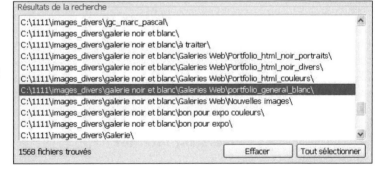

Vous visualisez un aperçu de son contenu dans la partie droite de la fenêtre. Pour cela, la case *Aperçu* doit être cochée.

■ Soit vous choisissez plusieurs dossiers en gardant la touche Ctrl enfoncée et en cliquant

sur les dossiers concernés.

Le nombre de photos sélectionnées s'affiche alors en bas à droite de la fenêtre.

144 Photos sélectionnées pour importation

■ Soit vous sélectionnez tout en cliquant sur **Tout sélectionner**. Les fichiers sélectionnés sont surlignés en bleu. Le nombre de vos fichiers images est indiqué en bas et à droite de la fenêtre **Aperçu**.

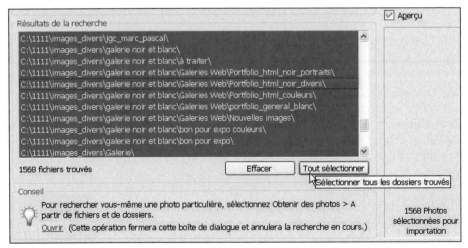

Vous pouvez maintenant importer le contenu des répertoires sélectionnés dans l'interface de Photoshop Album :

···▶ **1** Cliquez sur **Importer les dossiers**. La fenêtre **Obtention de photos** montre l'évolution de l'importation de vos images.

2 Si, à la fin du processus d'importation, la fenêtre **Éléments non importés** s'ouvre pour vous indiquer l'ensemble des images non importées, cliquez sur OK pour valider. Les raisons qui motivent le refus d'importer certaines images sont multiples : soit vous avez décidé de ne pas importer des images de moins de 100 Ko, soit Photoshop Album considère des images comme étant endommagées, c'est-à-dire tronquées ou d'un format illisible par le logiciel.

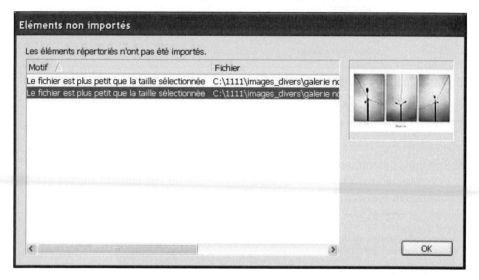

3 Une autre fenêtre s'affiche alors, vous indiquant que seules les images qui viennent d'être importées seront affichées et qu'il vous faudra cliquer sur le bouton **Tout afficher** dans la barre d'outils de l'interface générale du logiciel pour afficher toutes les images précédemment importées. Si vous ne voulez pas que cette fenêtre s'affiche à la prochaine utilisation, cochez la case *Ne plus afficher*. Validez par OK.

4 Fermez la fenêtre **Guide pratique** en cliquant sur la croix en haut et à droite de la fenêtre. ■

Les photos que vous venez d'importer sont à présent affichées sous forme de vignettes dans l'interface principale de Photoshop Album.

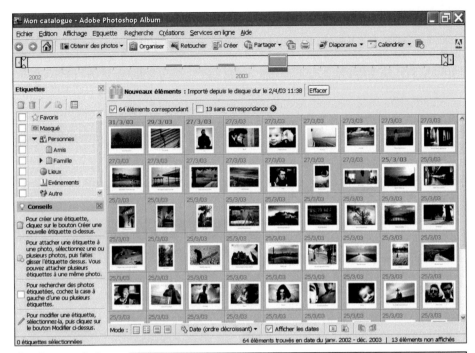

Au-dessus de la mosaïque de vignettes se

Nouveaux éléments : Importé depuis le disque dur le 2/4/03 11:38

trouve une barre d'information bleu ciel indiquant la date et l'heure de l'importation des fichiers.

Depuis un appareil photo numérique

1 Pour commencer, mettez votre appareil photo numérique sous tension. Connectez-le ensuite à votre PC. Pour la plupart des appareils récents, la connexion au PC s'effectue via un câble USB. Lancez l'interface **Guide pratique** en cliquant sur l'icône appropriée en haut à droite de l'interface générale du logiciel. Cliquez ensuite sur l'onglet **Obtention**.

2 Cliquez sur l'icône *Appareil photo*.

3 La fenêtre **Obtenir des photos à partir d'un appareil photo ou d'un lecteur** s'ouvre.

4 Dans la rubrique *Appareil photo*, votre appareil est reconnu par Photoshop Album.

Appareil photo : | Kodak EZ200 DIGITAL CAMERA |

Vous en apercevez un bref descriptif. Si vous possédez plusieurs appareils de numérisation, choisissez la mention en rapport avec votre appareil photo numérique (vous retrouverez cette fenêtre lorsque vous procéderez à l'acquisition de scans). La liste déroulante vous permet de sélectionner le bon périphérique.

5 Vient ensuite l'indication *Enregistrer les fichiers dans* suivi d'un

Enregistrer les fichiers dans : C:\...\2003-04-02-1150-08

nom de fichier. Par défaut, vos photos sont enregistrées dans un sous-dossier que Photoshop Album a lui-même créé. Vous pouvez néanmoins changer de dossier de destination en cliquant sur **Parcourir**.

Le processus de création de dossiers est le même que celui mis en œuvre dans l'Explorateur de fichiers de Windows. Cependant, le mode de classement organisé par Photoshop Album est suffisamment clair pour que vous vous y conformiez. La capture d'écran suivante, qui résulte d'un clic sur le bouton **Parcourir**, montre où sont sauvegardées par défaut les images.

6 Vous disposez de plusieurs options sous forme de trois cases à cocher. Pour

☑ Créer un sous-dossier avec la date et l'heure d'importation

commencer, laissez cochée la case *Créer un sous-dossier avec la date et l'heure d'importation*. Photoshop classera vos photos selon la date de leur prise de vue.

La case *Supprimer les photos de l'appareil*

☐ Supprimer les photos de l'appareil photo ou de la carte mémoire après l'importation

photo ou de la carte mémoire après l'importation permet d'effacer les fichiers directement sur la carte mémoire de votre appareil photo numérique. Il vous appartient de choisir ou non cette option. Attention : la suppression des vues est définitive.

La case *Importer toutes les photos* permet de transférer l'intégralité de vos photos dans l'interface de Photoshop Album.

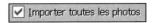

7 Cliquez sur OK pour lancer le processus d'acquisition.

8 L'interface propriétaire de l'appareil se déclenche alors. Dès lors vous vous échappez de Photoshop Album pour vous diriger dans l'interface de téléchargement de vos images via le logiciel d'acquisition installé en même temps que les drivers de votre appareil numérique. Ces interfaces étant sensiblement différentes d'un appareil à un autre, nous vous conseillons de consulter leur mode d'emploi. Dans un tel cas de figure, Photoshop Album se contente de piloter le déclenchement de l'interface d'acquisition de vos images numériques.

9 La fenêtre suivante, **Obtention de photos**, montre l'évolution de l'importation de vos images dans le répertoire défini par Photoshop Album ou par vos soins.

10 Une fois les images importées, fermez la fenêtre **Guide pratique**. L'ensemble des photos transférées s'affiche alors. Comme vous le constatez, que vous importiez des images de votre appareil photo numérique ou des images déjà sauvegardées sur

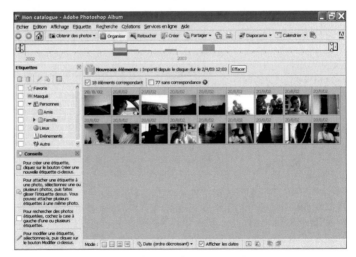

votre ordinateur, la fin du processus d'importation est le même. ■

Le cas du disque externe

Si votre appareil contient une carte mémoire que Photoshop Album, par l'entremise de Windows, interprète comme un disque dur externe, il est possible qu'aucune interface propriétaire ne se déclenche et que l'importation se déroule comme nous l'avons vu au début de ce chapitre, en allant directement rechercher les fichiers dans la carte mémoire de l'appareil. Dans ce cas, il est plus simple d'utiliser la commande **Dossiers de fichiers** (voir plus loin).

Depuis un scanner

Mettez votre scanner sous tension et connectez-le à votre PC, si ce n'est déjà fait. La majorité des scanners récents se connectent via le port USB de l'ordinateur. Ce type de port permet un branchement « à chaud », c'est-à-dire sans redémarrage de la machine.

1 Glissez le document à numériser dans l'appareil, puis lancez l'interface **Guide pratique** en cliquant sur l'icône appropriée, en haut à droite de l'interface générale du logiciel. Cliquez ensuite sur **Obtention**, puis sur l'icône *Scanner*.

2 Dans la fenêtre qui s'ouvre, votre appareil est reconnu automatiquement par Photoshop Album. Vous apercevez son nom dans la liste déroulante *Scanner*. Comme nous l'avons

vu précédemment avec l'acquisition depuis un appareil photo numérique, tous vos périphériques de numérisation sont listés ici. Si un autre périphérique est sélectionné, la flèche vous donne accès à la sélection de l'appareil approprié.

3 La ligne *Enregistrer les*

fichiers dans vous indique dans quel répertoire seront sauvegardés vos documents numérisés. Comme pour un appareil photo numérique, Adobe Photoshop Album se propose de sauvegarder vos fichiers dans un répertoire qu'il a lui-même créé lors de l'installation du logiciel sur votre ordinateur. Il s'agit en l'occurrence du répertoire *Photos numérisées*. Le bouton **Parcourir** permet une fois de plus de définir un autre dossier de stockage.

4 La liste déroulante *Enregistrer sous* vous permet de sélectionner le format de fichier résultant de la numérisation. Par défaut, le format *JPEG* est choisi par les trois formats proposés (les deux autres étant *TIFF* et *PNG*). Pour l'heure, laissez sélectionné le format *JPEG*, qui offre des images de qualité, d'un poids pouvant être optimisé.

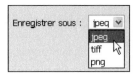

L'intérêt du format JPEG

L'option JPEG permet de compresser les images numérisées et, par conséquent, de leur faire perdre du poids. Elle est donc préférable aux deux autres formats, notamment à TIFF, qui ne compresse pas, surtout si vous souhaitez par la suite utiliser ces images au sein de créations réalisées avec Photoshop Album.

5 Le curseur *Qualité* permet de définir la compression. Plus votre curseur est à gauche, plus l'image est compressée. Elle perd du poids, mais est également plus pauvre en termes de qualité. Plus le curseur est à droite,

moins vos images sont compressées. Elles gagnent donc en qualité, mais leur poids augmente. Pour une numérisation classique, le compromis se situe évidemment au milieu de l'échelle. Validez par OK pour lancer la numérisation.

Pour plus de détails concernant les formats de fichiers, leur signification et leur utilisation, reportez-vous à la fiche intitulée *Les formats de fichiers de Photoshop Album*, à la fin de cet ouvrage.

6 Comme pour l'interface propriétaire d'un appareil photo numérique, celle de votre scanner se déclenche alors. Vous sortez momentanément de Photoshop Album pour entrer dans l'interface de votre scanner. Comme chaque constructeur a ses habitudes, il est conseillé de suivre le mode d'emploi de votre appareil.

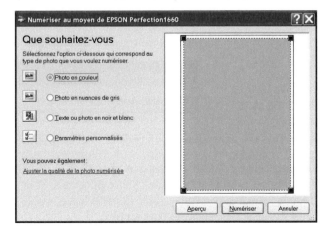

7 Votre scanner numérise l'image selon un processus qui lui est propre.

8 Après la numérisation depuis l'interface propriétaire de votre scanner, la fenêtre **Obtention de photos** montre l'évolution de l'importation des images.

9 Fermez la fenêtre **Guide pratique**. L'image numérisée suit le même processus d'intégration au sein de Photoshop Album

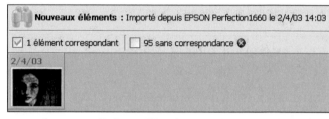

qu'une image en provenance d'un appareil photo. Elle vient se placer dans l'interface de votre logiciel. ■

Depuis un répertoire particulier

Si vous avez préalablement classé vos images sur votre disque dur avant d'installer Photoshop Album, il est très simple de les incorporer une à une ou par paquets dans l'application d'Adobe. Il suffit d'aller chercher vos fichiers là où ils « résident » :

1 Lancez l'interface **Guide pratique**, cliquez sur **Obtention**, puis sur l'icône *Dossiers de fichiers*.

2 Une fenêtre intitulée **Obtenir des photos à partir de fichiers et de dossiers** s'ouvre. Elle fonctionne comme toute fenêtre Windows de type Explorateur. Naviguez dans l'arborescence de votre PC à la recherche du dossier voulu.

3 La liste déroulante *Regarder dans* indique

l'emplacement courant de votre recherche. Ici, il s'agit du dossier *Mes images*.

4 Les fichiers et sous-dossiers compris dans le dossier *Mes images* s'affichent dans la fenêtre principale. Pour importer une image, cliquez sur le nom de fichier qui lui est propre. Celui-ci est surligné alors en bleu.

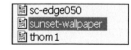

5 Un aperçu du fichier est affiché à droite de la fenêtre. Ses dimensions sont indiquées en dessous de l'aperçu.

6 Pour importer plusieurs photos en même temps, cliquez sur les noms de fichiers appropriés tout en maintenant la touche (Ctrl) de votre clavier enfoncée. La fenêtre d'aperçu n'affiche que la première image sélectionnée.

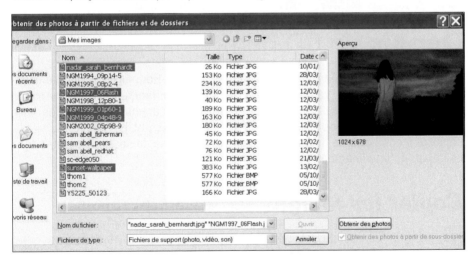

7 La liste déroulante *Fichiers de type* permet de cibler ou d'élargir le spectre des recherches. Les fichiers multimédias (*Fichiers de support : photo, vidéo, son*)

sont sélectionnés par défaut, mais il est possible de parcourir vos répertoires à la recherche de fichiers au format PDF ou tout autre format (option *Tous les fichiers*).

Les fichiers PDF sont expliqués à la fin de cet ouvrage, dans la fiche *Les formats de fichiers de Photoshop Album*.

8 Votre sélection effectuée, cliquez sur le bouton **Obtenir des photos**. Le processus qui suit vous est maintenant familier (voir les sections consacrées à l'acquisition depuis un appareil photo numérique ou depuis un scanner).

9 Après avoir fermé la fenêtre **Guide pratique**, vous vous retrouvez face aux images que vous venez d'importer dans l'interface de Photoshop Album. ■

Depuis un CD-Rom

Vos images sont stockées sur un CD-Rom ou un DVD-Rom (un ami a gravé vos souvenirs communs de vacances ou votre labo photo habituel a numérisé votre pellicule 24×36 argentique en plus des tirages papier) et vous souhaitez les importer dans Photoshop Album ? Deux méthodes existent. La première consiste à copier sur le disque dur les images d'origine, la seconde permet de ne copier qu'une image à basse résolution.

Copier les images sur le disque dur

···▸ **1** Insérez le CD-Rom ou DVD-Rom dans votre lecteur, puis ouvrez la fenêtre **Guide pratique**. Cliquez sur **Obtention** puis sur *CD*.

2 Vous retrouvez la fenêtre **Obtenir des photos à partir de fichiers et de dossiers** (voir la section *Depuis un répertoire particulier*). Le logiciel vous a déjà guidé vers le contenu du CD-Rom logé dans le lecteur de votre machine.

3 Ouvrez les dossiers gravés sur le CD-Rom, puis sélectionnez les images de votre choix. Une fois les photos sélectionnées, cliquez sur le bouton **Obtenir des photos**.

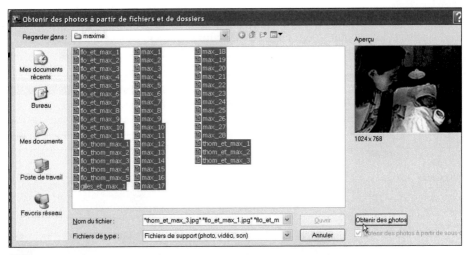

4 Vos images s'intègrent alors dans l'interface principale de visualisation de Photoshop Album. ■

Copier une image en basse résolution

1 Insérez le CD-Rom ou DVD-Rom, ouvrez la fenêtre **Guide**

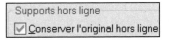

pratique, puis sélectionnez **Obtention** et enfin *CD*. S'ouvre alors la fenêtre **Obtenir des photos à partir de fichiers et de dossiers**. Le logiciel vous a guidé vers le contenu du CD-Rom ou du DVD-Rom logé dans le lecteur de votre machine.

2 Sélectionnez tout ou partie de vos images, puis cochez la case *Conserver l'original hors ligne*.

> Supports hors ligne
> ☑ Conserver l'original hors ligne

3 La ligne *Nom du CD hors ligne* indique le nom de votre média

> Supports hors ligne
> ☑ Conserver l'original hors ligne (ne copier qu'un petit proxy sur le disque local)
> Nom du CD hors ligne : images
> Note de référence facultative pour le CD : naissance Max

externe. Vous pouvez attribuer un nom plus significatif, propre aux images présentes sur le CD ou DVD.

4 Cliquez sur le bouton **Obtenir des photos** pour faire l'acquisition de vos images en basse résolution, autrement appelées **fichiers proxy**. Des copies légères de vos images sont désormais logées dans l'interface de Photoshop Album. ■

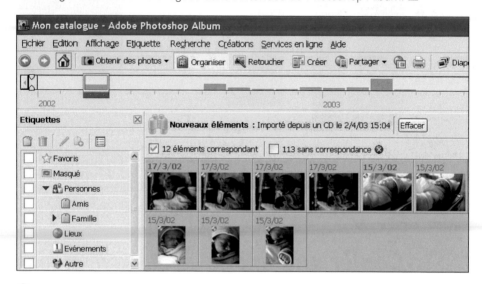

Fichier proxy

Il existe deux méthodes pour importer des images d'un CD-Rom ou d'un DVD-Rom dans Photoshop Album. La première, très classique, importe l'image telle qu'elle existe sur le CD ou DVD, en respectant sa qualité et donc son poids. La seconde importe une copie en basse résolution d'une image du CD, appelée fichier proxy. À quoi cela sert-il ? Prenez l'exemple d'une très grande image qui accuse un poids de fichier impressionnant de plusieurs dizaines de mégaoctets. Le fait d'importer une copie en basse définition permet d'afficher une image « poids plume » dans Photoshop Album, sans avoir à souffrir de la lenteur d'affichage qu'imposerait son poids initial. Si, par la suite, vous souhaitez modifier cette image, ou l'intégrer dans une création, le logiciel vous demandera d'insérer le CD-Rom ou DVD-Rom de base pour travailler avec la « vraie » photo.

Chapitre 3

Organisation
des images

L'organisation des images est le centre d'intérêt majeur de Photoshop Album. Comment, sans un minimum d'aide et d'organisation, est-il possible de se retrouver parmi une multitude de fichiers graphiques intégrés au sein de l'interface ? La réponse d'Adobe est claire : grâce à un processus d'étiquetage simple et efficace. Vous verrez, au fil de ce chapitre, ce qu'est une étiquette et comment vous en servir pour organiser puis retrouver vos images.

Mais avant cela, vous allez prendre connaissance des principes de navigation et d'affichage de Photoshop Album. Quel que soit le biais par lequel vous faites l'acquisition de vos nombreuses photographies, toutes s'affichent dans le plus grand désordre dans l'interface de votre logiciel. Vous allez remédier à ce problème en créant des étiquettes.

Pour savoir comment acquérir vos photos, reportez-vous au chapitre *Acquisition d'images*.

Naviguer dans l'interface

Les quatre modes de visualisation

Après l'importation de vos fichiers, l'interface de Photoshop Album vous montre par défaut le plus d'images possible.

Il existe quatre modes d'affichage, offrant chacun des atouts pouvant répondre à vos attentes. Pour définir le style d'affichage des images qui vous convient le mieux, dirigez votre souris vers les quatre boutons de prévisualisation des vignettes, situés au bas de l'interface.

Mode : ▦ ▦ ▦ ▦

Laissez votre souris en suspension au-dessus d'un bouton. Une info-bulle s'affiche et vous explique sommairement le type d'affichage qui correspond au bouton survolé : *Petite vignette*, *Moyenne vignette*, *Large vignette* ou *Une seule photo*.

■ Le premier bouton en partant de la gauche permet d'afficher des images sous la forme de vignettes de taille très réduite. Cet affichage est utile dès lors que vous souhaitez avoir un aperçu le plus complet possible du stock de vos fichiers numériques.

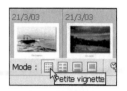

Cependant, passé un certain nombre de clichés, il est impossible de visualiser l'ensemble des images en une seule fois. Pour monter et descendre dans l'affichage de vos images, utilisez les barres d'ascenseur verticales situées à droite de l'interface.

■ Le deuxième bouton en partant de la gauche permet d'afficher une mosaïque de vignettes de taille moyenne.

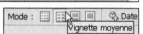

À l'aide des barres d'ascenseur, vous pouvez parcourir l'ensemble des photos. Lorsque vous aurez créé vos étiquettes, et en fonction du nombre d'images regroupées sous une même appellation, cet affichage vous sera familier ; il

donne un juste compromis entre la quantité de clichés affichés et la qualité de l'affichage des images.

■ Le troisième bouton agrandit de plus belle la taille des vignettes.

De trois à quatre images peuvent être affichées via ce bouton. La priorité est donnée à la qualité de l'affichage par rapport à la quantité. Privilégiez ce mode de visualisation si vous disposez, par exemple, d'images qui se ressemblent fortement. Prenez l'exemple d'une photo numérique prise deux, voire trois fois, par souci de sécurité. Grâce à cet affichage, il est possible de distinguer les différentes images les unes des autres et de les disposer en même temps sur l'interface.

■ Le dernier bouton permet d'afficher une image unique dans l'interface.

Les barres d'ascenseur pour faire défiler les images ont disparu. À leur place se sont substituées des flèches directionnelles. En cliquant sur ces flèches, vous faites défiler les images d'avant en arrière, et inversement.

À tout moment, vous pouvez revenir à un affichage multiple en sélectionnant le mode de votre choix. Notez que la dernière image affichée dans l'ensemble de l'interface est encadrée d'un rectangle jaune dans la mosaïque d'images.

L'affichage par dates

Adobe Photoshop Album permet d'afficher les images sur un plan chronologique. À ces fins, plusieurs méthodes existent. Voici la plus simple, puisque mise en œuvre directement depuis l'interface :

┈┈┈► **1** À proximité des boutons d'affichage décrits précédemment, réside un bouton nommé **Date (Ordre décroissant)**. C'est la position par défaut qui dispose vos photographies en partant de la plus récente en termes d'enregistrement sur votre disque dur (en haut de la mosaïque) vers la plus ancienne (en bas)

2 Pour vous en assurer, choisissez le mode d'affichage *Vignettes moyennes* de sorte que de nombreuses images ne soient pas affichées.

3 Cliquez sur la barre d'ascenseur sans relâcher la pression sur le bouton gauche de la souris, puis descendez cette barre vers le bas. Une info-bulle s'affiche qui vous indique la date d'enregistrement de vos images.

4 Plus vous descendez, plus vous remontez dans le temps… jusqu'à atteindre la photo la plus ancienne sauvegardée sur votre disque dur.

5 Pour afficher vos images en allant de la plus ancienne à la plus récente, cliquez sur le bouton **Date (Ordre décroissant)**. Quatre choix sont proposés ; cliquez sur **Date (Ordre croissant)**.

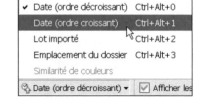

6 L'ensemble de vos images s'est inversé dans l'interface, les photographies les plus anciennes étant désormais au début de la mosaïque, comme en témoigne l'info-bulle de la barre d'ascenseur verticale. ■

L'affichage par dossiers

Il existe une autre méthode pour visualiser des images : l'affichage par dossiers. Si, avant d'installer Photoshop Album, vous classiez vos images dans des répertoires déterminés, ce mode vous sera particulièrement utile.

1 Toutes vos images sont présentes dans l'interface. Dans la liste déroulante *Date*, sélectionnez le mode *Emplacement du dossier*.

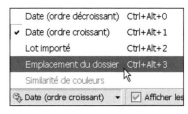

2 Observez l'interface. Vos images sont désormais affichées en fonction de leur appartenance au dossier dans lequel elles ont été sauvegardées. L'affichage des dossiers respecte l'ordre l'alphabétique et n'est pas modifiable.

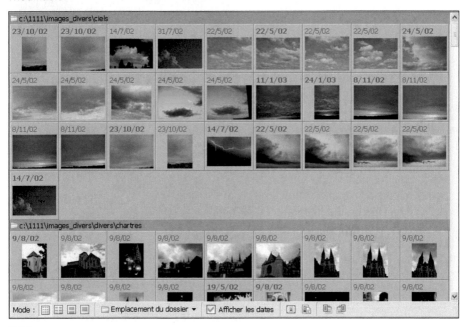

3 Notez que cet affichage par dossiers est compatible avec les quatre types de formats vus précédemment. Cliquez sur le mode *Grandes vignettes*. Vous constatez que vos images sont à la fois plus visibles et toujours classées par dossiers. ■

Opérer une rotation sur une image

On distingue les prises de vue dites « en portrait » et celles de type « paysage ». Lorsque vous faites l'acquisition d'une photographie dans l'interface de Photoshop Album, celle-ci reste orientée telle que vous l'avez prise. Il existe une méthode très simple pour l'orienter à votre convenance :

1 Quel que soit le mode d'affichage défini et le type de visualisation choisi, sélectionnez une image prise en mode « portrait » en cliquant dessus. La photo sélectionnée est encadrée d'un rectangle jaune.

2 À l'extrémité de la barre d'outils située en bas de l'interface, sur laquelle sont proposés les différents types d'affichages, résident deux boutons dédiés à la rotation des images. Pour opérer une rotation à 90° dans le sens des aiguilles d'une montre (ce qui nous importe dans le cas présent), cliquez sur le bouton *Rotation horaire*.

3 Après un bref calcul, l'image est rétablie et parfaitement visible dans l'interface. Elle n'a pas bougé de place ; elle a juste subi une très légère modification pour s'intégrer visuellement au sein des images qui l'accompagnent.

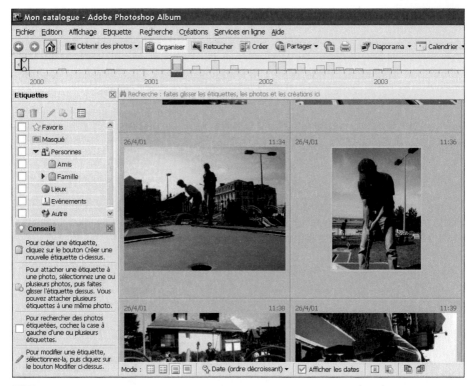

4 Pour opérer une rotation à 90° dans le sens inverse des aiguilles d'une montre, cliquez sur le bouton *Rotation antihoraire*. ■

Comprendre les étiquettes

Les étiquettes d'Adobe Photoshop Album représentent la meilleure trouvaille du logiciel. Avec elles, vous pourrez organiser à la perfection l'ensemble de vos photographies numériques. En outre, créer une étiquette est un jeu d'enfant.

Une étiquette est une marque que vous appliquez sur une image ou un ensemble d'images. Elle est totalement invisible lors de la consultation des photographies au sein de Photoshop Album ou de n'importe quelle autre application exploitant des images. Appliquer une étiquette à un fichier graphique, c'est lui signifier son appartenance à un ou plusieurs groupes d'images. En sélectionnant un groupe, vous affichez uniquement les images qui lui sont propres. Cela facilite grandement l'organisation des images.

Utiliser les étiquettes prédéfinies

···⟩ **1** Pour afficher la fenêtre des étiquettes (si elle n'est pas déjà ouverte), activez la commande **Affichage/Étiquettes**. La fenêtre des étiquettes s'affiche à gauche de l'interface et est accompagnée d'une autre fenêtre intitulée **Conseils**.

2 Fermez la fenêtre **Conseils** en cliquant sur la croix en haut et à gauche (comme dans n'importe quelle application informatique). Vous gagnez ainsi en visibilité pour la fenêtre des étiquettes.

La fenêtre des étiquettes comprend six catégories prédéfinies par Photoshop Album : *Favoris*, *Masqué*, *Personnes*, *Lieux*, *Événements* et *Autre*.

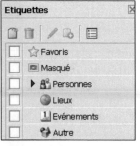

3 Affichez maintenant un maximum de photos dans l'interface en sélectionnant le mode de visualisation *Petites vignettes*.

4 Les images sont à présent d'un côté, et les catégories d'étiquettes de l'autre. Il reste à les relier. Dans cet exemple, les images concernent aussi bien des personnes que des lieux. Vous allez étiqueter uniquement les photos de vos proches. Pour ce faire, cliquez d'abord sur la ligne *Personnes* dans la fenêtre des étiquettes. Cette ligne se pare d'une couleur bleue profond, signe qu'elle est bien sélectionnée.

5 Cliquez sur la ligne *Personnes* et ne relâchez pas la pression sur le bouton gauche de la souris. Déplacez ensuite le curseur de la souris ; il est symbolisé par une petite main qui agrippe une étiquette représentant un couple, en l'occurrence l'icône de la catégorie *Personnes*.

6 Faites glisser cette étiquette jusqu'à la première image représentant un de vos proches. Une fois la main et l'étiquette au-dessus de la photo, relâchez le bouton de la souris. L'étiquette s'incruste dans l'angle inférieur gauche de la vignette de votre image, puis disparaît après deux secondes. L'image est étiquetée.

7 Pour vous en apporter la confirmation, cliquez dans le carré blanc situé à gauche de l'icône symbolisant la catégorie *Personnes*. Une paire de jumelles apparaît dans la case blanche.

Dans l'interface de Photoshop Album s'affiche l'image sur laquelle vous venez de déposer une étiquette.

8 Au-dessus de l'espace central de visualisation est venue prendre place une barre riche en renseignements. Observez-la attentivement :

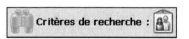

L'icône *Critères de recherche* vous rappelle à quelle catégorie appartient l'image affichée. Cela est surtout utile lorsque plusieurs dizaines de

clichés sont étiquetés sous une même appellation. Ici, il s'agit de la catégorie *Personnes*, représentée par les deux petits personnages.

Les deux cases situées en dessous indiquent le nombre d'images répondant à vos critères de recherche et la quantité n'y répondant pas. La première case, nommée *1 élément correspondant*, est cochée et affiche la seule image que vous avez étiquetée dans la catégorie *Personnes*.

☑ 1 élément correspondant

9 La seconde case, intitulée *487 sans correspondance*, indique le nombre de photos n'entrant pas dans cette catégorie et étant par conséquent cachées. Pour les faire apparaître, cochez cette case. Elles apparaissent alors toutes, marquées d'une petite croix blanche

sur fond rouge, signe qu'elles n'appartiennent pas à la catégorie active (*Personnes*).

10 Pour les faire disparaître de l'écran (et non de votre disque dur, rassurez-vous !), décochez la case *487 sans correspondance*. Évidemment, le chiffre indiqué ici (487) est propre à la collection d'images utilisée dans cet

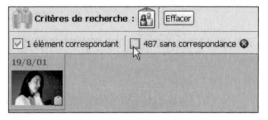

exemple. Ce nombre change en fonction de la quantité de photographies sauvegardées sur votre propre ordinateur.

Effacer sans crainte

N'ayez aucune crainte quant à l'utilisation du bouton **Effacer**. Son rôle est d'afficher toutes les images sauvegardées sur votre disque dur. En aucun cas, ce bouton n'efface les étiquettes que vous avez précédemment créées (celles-ci ont été mémorisées par Photoshop Album). Un seul clic dans la case blanche jouxtant une catégorie prédéfinie fait de nouveau apparaître les images regroupées sous une même appellation.

11 Pour retrouver l'ensemble de vos images, indépendamment des étiquettes qui leur ont été attribuées, cliquez sur le bouton **Effacer**, situé dans la barre *Critère de recherche*. À cet instant, l'affichage ne tient plus compte des étiquettes. ∎

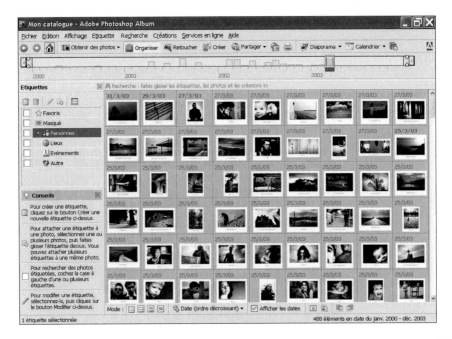

Créer ses propres étiquettes

Vous venez de voir comment attribuer une étiquette à une image. Vous pouvez parfaitement vous en tenir aux termes génériques *Personnes*, *Lieux*, *Événements* ou *Autres*. Mais devant la multitude de fichiers numériques que contient votre ordinateur, vous souhaitez affiner votre organisation. C'est ce que vous allez faire en créant vos propres étiquettes.

Créer des sous-ensembles

Il est impossible, dans Photoshop Album, d'ajouter un nouvel ensemble d'étiquettes au même niveau que les groupes prédéfinis *Favoris*, *Masqué*, *Personnes*, *Lieux*, *Événements* et *Autres*. Vous pouvez seulement créer des sous-ensembles au sein de ces catégories existantes, qui, eux-mêmes, pourront contenir plusieurs sous-ensembles. C'est le principe des poupées russes !

Toutes vos images sont affichées en désordre dans l'interface de Photoshop Album. Dans la barre des étiquettes, à gauche de l'écran, aucune des six catégories précédemment citées n'est sélectionnée. Notez que la fenêtre **Conseils** est fermée de manière à vous laisser plus d'espace.

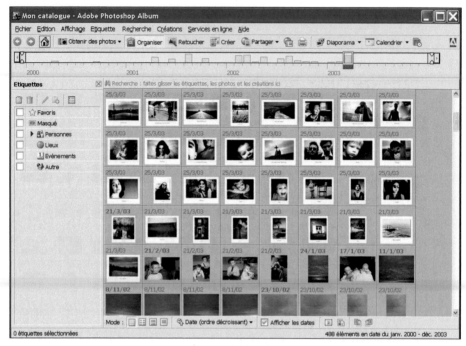

Votre objectif est de regrouper, pour une meilleure visualisation, toutes les photos de vos vacances. Répétons-le : ces photos s'affichent pour le moment pêle-mêle sur votre écran.

1 Cliquez sur le bouton **Créer une étiquette** situé dans l'angle supérieur gauche de la fenêtre des étiquettes. L'éditeur d'étiquettes s'ouvre.

2 Dans la liste déroulante *Catégorie* résident les appellations prédéfinies que nous avons déjà rencontrées. Pour les faire apparaître, cliquez sur la flèche qui se trouve à droite de la case où est indiquée la mention *Spécifier*.

3 Pour vos photos de vacances, choisissez la catégorie *Lieux*. Vous verrez plus tard qu'il est simple de changer l'appartenance d'une étiquette à une catégorie.

4 Pour attribuer un nom à votre étiquette, saisissez une courte appellation au sein de la zone *Nom d'étiquette*. Inscrivez par exemple été 2002.

Sous le symbole graphique de votre étiquette (pour le moment, un simple point d'interrogation) est venue se placer la mention *été 2002*.

5 Si vous le souhaitez, rédigez un court texte dans la zone *Remarque*. Ce texte accompagnera votre étiquette et sera lisible à chaque édition de l'étiquette. C'est une option très pratique dès lors que vous créez des sous-ensembles dont la forme diffère peu, une remarque pouvant préciser des différences invisibles à l'œil nu.

6 Pour valider votre étiquette, cliquez sur le bouton OK. ⬛

Dans la fenêtre des étiquettes à gauche de l'écran, votre étiquette est venue se glisser dans la catégorie *Lieux* et est sélectionnée, comme en témoigne sa couleur bleu nuit. Vous venez de créer votre première étiquette. Voyons maintenant comment l'utiliser.

Déposer une étiquette

Les images de vos vacances étant toujours affichées dans le désordre, vous allez utiliser l'étiquette *Été 2002* que vous venez de créer pour les visualiser dans les meilleures conditions. Quatre méthodes sont disponibles. Il vous appartient de trouver celle qui vous convient le plus.

Déposer une étiquette sur une image

1 Dans la fenêtre des étiquettes, sélectionnez l'étiquette *Été 2002*.

2 Dans l'espace central de l'interface de Photoshop Album, sélectionnez une image parmi celles de vos vacances de l'été dernier en cliquant dessus. La photographie est encadrée de jaune, ce qui signifie qu'elle est sélectionnée.

3 Cliquez sur l'étiquette *Été 2002* et ne relâchez pas la pression que vous exercez sur le bouton gauche de votre souris. Déplacez maintenant le curseur vers l'image sélectionnée. Comme vous le constatez, le curseur se transforme en une main agrippant l'étiquette *Été 2002*.

4 Une fois l'étiquette au-dessus de la photo sélectionnée, relâchez le bouton de la souris. L'étiquette se dépose alors sur l'image. Cette opération est en tout point semblable à celle qui consiste à déposer une étiquette générique sur une image. ■

Déposer une étiquette
sur plusieurs images en même temps

Le but est toujours d'étiqueter toutes vos photographies de vacances prises l'été dernier. Cette méthode fait gagner un temps considérable.

1 Cliquez sur une image de vos vacances. Celle-ci est encadrée d'un liséré jaune.

2 Maintenez la touche [Ctrl] de votre clavier enfoncée et cliquez sur une deuxième image. Les deux photos sont maintenant encadrées de jaune.

3 Répétez cette opération (touche [Ctrl] enfoncée) pour chacune des images de vos vacances d'été.

4 Les images toujours sélectionnées, déplacez comme précédemment l'étiquette *Été 2002* sur n'importe laquelle des photographies encadrées de jaune. Après un court laps de temps, l'icône de l'étiquette *Été 2002* s'incruste dans chacune des images, puis disparaît. Vos photographies sont désormais étiquetées. ■

Déposer une étiquette via le menu contextuel

Il existe deux possibilités pour étiqueter une image via un menu contextuel :
depuis l'étiquette ou depuis l'image. Dans les deux cas, nous partons du principe
qu'au moins une image est sélectionnée dans la mosaïque de vignettes.

1 Cliquez sur *Été 2002* dans la fenêtre des étiquettes. L'étiquette se pare de sa
couleur bleu nuit.

2 Cliquez maintenant sur l'étiquette avec le bouton droit de la souris pour ouvrir le
menu contextuel qui lui est associé.

3 Sélectionnez la dernière entrée, nommée **Attacher l'étiquette Été 2002 à/aux
1 élément(s) sélectionné(s)**.

4 Après un temps très court, la vignette de votre image est étiquetée. Sachez que
cette méthode s'applique aussi bien à un ensemble de plusieurs images
sélectionnées via le bouton [Ctrl]. Le message du menu contextuel s'adapte au
nombre de photos que vous avez sélectionnées. ■

Voyons maintenant comment faire pour déposer une étiquette depuis l'image.

1 Sélectionnez une ou plusieurs images parmi vos photos de vacances. En cliquant sur le bouton droit de la souris, ouvrez le menu contextuel associé à l'image (ou au groupe d'images) que vous avez sélectionnée.

2 Activez l'entrée **Attacher une étiquette aux éléments sélectionnés**.

3 Cette commande ouvre un nouveau menu contextuel où se retrouvent les différentes catégories d'étiquettes génériques dont vous disposez. Naviguez jusqu'à *Lieux/Été 2002*, puis cliquez.

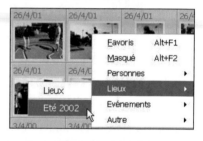

4 Vos images se voient étiquetées après un court calcul de Photoshop Album. ■

Déposer une étiquette via le bouton Attacher

···⟩ **1** Sélectionnez une image de vos vacances dans la mosaïque de photographies présentée sur votre interface. L'image est encadrée de jaune.

2 Sélectionnez l'étiquette *Été 2002* dans la liste des étiquettes.

3 Cliquez maintenant sur l'icône *Attacher une étiquette sélectionnée à 1 élément sélectionné* située au sommet de la fenêtre **Étiquettes**. L'image sélectionnée est désormais étiquetée. ■

Si vous déposez une étiquette sur une image précédemment marquée de la même étiquette, un message d'information s'affiche.

> ### **Plusieurs étiquettes sur une même image**
>
> Non seulement il est possible de déposer une étiquette sur plusieurs images, mais il est également possible de déposer plusieurs étiquettes sur une même image qui répond à de multiples critères. Ainsi, la photo de vos enfants, l'été dernier à la mer, peut être marquée à la fois des étiquettes *Été 2002* et *Nos enfants*. Le nombre d'étiquettes n'est limité que par votre imagination, ce qui facilite la recherche de photos.

Approfondir la création des étiquettes

Vous venez de voir comment créer une étiquette au sein d'une catégorie (*Lieux* dans notre exemple) et comment l'appliquer à une ou plusieurs images. Il est temps d'aller plus loin et d'approfondir la création des étiquettes.

L'affichage des sous-ensembles

1 Pour afficher uniquement les catégories génériques des étiquettes, activez le menu **Étiquette/Tout réduire**. Toutes les catégories génériques d'étiquettes et l'ensemble des sous-catégories (comme l'étiquette *Été 2002*) se contractent et ne laissent plus apparaître qu'une flèche noire située entre une case blanche et l'icône symbolisant la catégorie générique.

2 Pour faire apparaître l'intégralité des sous-catégories, activez le menu **Étiquette/Développer tout**. Les catégories génériques d'étiquettes laissent apparaître les sous-catégories qui leur sont propres. Vous retrouvez l'étiquette *Été 2002*. Dans cet exemple, nous avons créé de nombreuses sous-catégories d'étiquettes pour vous donner un meilleur aperçu de l'affichage complet que propose ce menu.

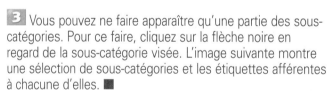

3 Vous pouvez ne faire apparaître qu'une partie des sous-catégories. Pour ce faire, cliquez sur la flèche noire en regard de la sous-catégorie visée. L'image suivante montre une sélection de sous-catégories et les étiquettes afférentes à chacune d'elles. ■

L'éditeur d'étiquettes

Vous allez apprendre à modifier l'aspect visuel d'une étiquette et lui attribuer une autre catégorie générique.

Les options de visualisation des étiquettes

1 Les catégories et sous-catégories d'étiquettes sont par défaut affichées de façon que seule une petite étiquette de couleur, en regard de l'appellation d'une sous-catégorie, soit visible. Activez le menu **Étiquette/Développer tout** afin d'afficher toutes les sous-catégories que vous avez créées.

2 Cliquez maintenant sur l'icône *Options d'affichage d'étiquette*, située en haut et à droite dans la fenêtre des étiquettes.

3 Une nouvelle fenêtre nommée **Options d'étiquette** s'affiche.

■ La première option, nommée *Nom d'étiquette/Ordre alphabétique*, affiche les étiquettes sans l'image qui les symbolise.

La case *Ordre alphabétique*, une fois cochée, oblige les étiquettes à abandonner leurs catégories génériques pour obéir à un ordre alphabétique strict. C'est une méthode de classement assez confuse.

■ Le deuxième option, sélectionnée par défaut, permet d'obtenir un affichage des étiquettes où l'image qui symbolise chacune d'elles est préservée. Un classement par ordre alphabétique est possible.

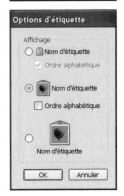

Ce mode d'affichage des étiquettes, sans obéir à l'ordre alphabétique, est celui dont vous vous servez depuis le début de ce chapitre. C'est certainement le mode d'affichage des étiquettes le plus agréable.

■ La dernière option offre un affichage plus large aux images symbolisant vos étiquettes. Notez qu'il n'est pas possible de choisir l'ordre alphabétique avec cette option. ■

Modifier l'illustration
d'une étiquette

⋯▶ **1** Sélectionnez l'étiquette *Été 2002* dans la fenêtre des étiquettes, puis cliquez sur le bouton **Modifier l'étiquette sélectionnée** symbolisé par un crayon.

L'éditeur d'étiquettes s'ouvre. Comme vous le constatez, l'image dont s'est parée l'icône correspond à la première image sur laquelle vous avez déposé l'étiquette.

2 Cliquez sur le bouton **Modifier l'icône**. La fenêtre **Éditeur d'icône d'étiquette** s'ouvre. Sous l'étiquette est inscrite le nombre d'images regroupées sous cette étiquette.

3 Pour modifier le cadrage de l'image courante, utilisez les poignées de redimensionnement situées aux angles du carré en pointillés blancs. Observez le curseur de la souris : lorsque celui-ci passe sur une poignée d'angle, il se transforme de simple flèche en flèche noire à double tête.

4 Tirez la poignée supérieure gauche vers le centre de l'image. Le carré en pointillés rétrécit. Notez également que l'image dans l'étiquette s'adapte immédiatement à vos changements.

5 Placez maintenant le curseur de la souris au centre du carré. Vous constatez qu'il se transforme encore. Il prend cette fois l'apparence d'une main. Tout en maintenant le bouton gauche de la souris enfoncé, déplacez le carré afin de trouver le meilleur cadrage possible du sujet illustrant votre étiquette. Comme précédemment, l'étiquette s'adapte simultanément.

6 Une fois l'étiquette illustrée à votre goût, validez deux fois de suite par OK. Dans la fenêtre, l'étiquette *Été 2002* est modifiée. ■

Changer l'image de l'étiquette

1 Sélectionnez l'étiquette *Été 2002* et cliquez sur le bouton **Modifier l'étiquette sélectionnée** pour ouvrir l'éditeur d'étiquettes. Cliquez sur le bouton **Modifier l'icône** pour ouvrir la fenêtre **Éditeur d'icône d'étiquette**.

2 Pour changer l'image illustrant l'étiquette *Été 2002*, cliquez sur le bouton **Rechercher**. La fenêtre **Sélectionner l'icône de l'étiquette Été 2002** s'ouvre. Dans cet espace de visualisation s'affiche l'intégralité des images regroupées sous l'étiquette *Été 2002*. L'image utilisée est encadrée en jaune.

3 À l'aide des barres d'ascenseur situées à droite de cette fenêtre, parcourez vos images. Une fois sélectionnée celle qui illustrera votre étiquette (elle est alors encadrée de jaune), validez par OK.

4 De retour dans la fenêtre **Éditeur d'icône d'étiquette**, vous pouvez recadrer l'image que vous venez de sélectionner, à l'aide des poignées situées aux angles du carré en pointillés blancs.

5 Modifiez à votre guise le cadrage, puis validez deux fois par OK. Votre étiquette est illustrée par une nouvelle image. ■

Changer une étiquette de catégorie générique

Vous pouvez aisément déplacer une étiquette d'une catégorie à une autre. Si les étiquettes que vous avez créées ne sont pas visibles (seules les catégories apparaissent), activez le menu **Étiquette/Développer tout**. Toutes vos étiquettes figurent dans la fenêtre.

1 Sélectionnez l'étiquette à modifier. Elle se pare de sa couleur bleu nuit, signe qu'elle est active. Cliquez sur le bouton **Modifier l'étiquette sélectionnée**, symbolisé par un crayon papier. L'éditeur d'étiquettes s'ouvre. La liste *Catégorie* vous informe de l'emplacement actuel de votre étiquette.

2 Déroulez la liste *Catégories*. Dans cet exemple, l'étiquette est logée dans la catégorie *Personnes*. Sélectionnez la catégorie où déplacer l'étiquette (ici, *Amis*). Validez par OK.

3 Le changement est immédiat : votre étiquette est maintenant logée dans la catégorie *Amis*. Un simple coup d'œil dans la fenêtre **Étiquettes** vous le confirme.

4 Pour annuler le changement, activez le menu **Edition/Annuler Modifier la catégorie ou les métadonnées de l'étiquette.** ■

Supprimer une étiquette

Si l'interface de la fenêtre **Étiquettes** devient trop chargée, il est possible de supprimer des étiquettes. Deux méthodes existent.

Via la fenêtre Étiquettes

1 Sélectionnez l'étiquette à supprimer dans la fenêtre du même nom. Si l'étiquette n'est pas visible, activez le menu **Étiquette/Développer tout** pour afficher toutes vos étiquettes. Autre solution : cliquez sur la flèche noire en regard du libellé d'une catégorie que vous souhaitez plus particulièrement ouvrir. Dans cet exemple, l'étiquette à supprimer (nommée *Hiver 2003*) est déjà sélectionnée, comme l'indique la couleur bleu de la ligne.

2 Positionnez le curseur sur l'étiquette à supprimer puis cliquez du bouton droit. Un menu contextuel s'ouvre. Sélectionnez **Supprimer l'étiquette Hiver 2003**.

3 Une fenêtre de confirmation vous propose de valider votre décision. Validez par OK.

4 Dans la fenêtre **Étiquettes**, *Hiver 2003* est immédiatement supprimée. Notez que cette suppression n'est pas définitive : le menu **Edition/Annuler Supprimer les étiquettes** remet la fenêtre **Étiquettes** dans son état précédent. ∎

Via le menu Étiquette

1 Sélectionnez l'étiquette à supprimer, puis activez le menu **Étiquette/Supprimer l'étiquette sélectionnée**.

2 Un message vous demandant de confirmer votre action s'affiche. Pour supprimer l'étiquette, cliquez sur OK. ∎

Retrouver des images
grâce aux étiquettes

Il existe plusieurs méthodes pour retrouver sans peine des photos : en sélectionnant une étiquette particulière, en faisant une recherche croisée, en se basant sur la chronologie des images ou encore sur le type de média.

Sélectionner une étiquette

1 Ouvrez la fenêtre **Étiquettes** (si elle n'est pas déjà affichée) via le menu **Affichage/ Étiquette**. Découvrez l'intégralité de vos étiquettes en activant le menu **Étiquettes/ Développer tout**. Vos images, pour l'instant, figurent en bloc sous la forme d'une mosaïque de vignettes dans l'interface principale de Photoshop Album.

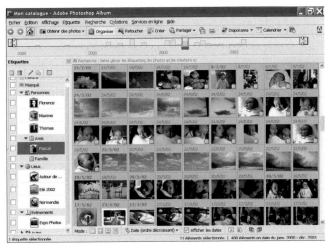

2 Pour afficher dans l'interface uniquement les photos voulues, cliquez dans la case blanche correspondant à votre étiquette et faites apparaître la paire de jumelles.

3 Dans l'interface principale ne s'affichent plus que les images associées à cette étiquette particulière.

4 Dans la barre de couleur bleu ciel située en haut de l'interface de visualisation, vous

constatez que soixante-six images se retrouvent sous cette étiquette et que vous disposez par ailleurs de quatre cent vingt-deux autres images. Attention, ces chiffres concernent uniquement cet exemple. Les valeurs affichées sur votre écran changeront à mesure de vos ajouts ou suppressions d'images dans votre catalogue Photoshop Album.

En bas et à droite de l'interface

> 66 éléments trouvés en date du janv. 2000 - déc. 2003 | 422 éléments non affichés

principale, la barre d'état indique, elle aussi, le nombre d'images présentes à l'écran et marquées de l'étiquette sélectionnée (ici 66) et le nombre total d'images importées dans Photoshop Album (ici 422).

5 Sur la barre bleu ciel *Critères de recherche*, cochez la case *422 sans correspondance*.

S'affichent alors toutes vos images étiquetées, à savoir celles qui correspondent à l'étiquette sélectionnée et celles qui ne correspondent pas. Ces dernières sont marquées d'une croix blanche dans un rond rouge. ■

Effectuer une recherche croisée

Photoshop Album vous donne la possibilité d'attribuer plusieurs étiquettes à une même image, ce qui est parfaitement logique : une photographie peut à la fois montrer une personne, correspondre à un événement et présenter un lieu, soit trois étiquettes possibles. Cette multiplication des étiquettes sur une image apporte davantage de puissance à votre organisation. Elle permet en outre d'affiner les recherches. Voyons un exemple.

1 Développez l'intégralité de vos étiquettes en cliquant sur les flèches noires ou en activant le menu **Étiquettes/Développer tout**.

2 Sélectionnez deux sous-catégories d'étiquettes, situées chacune dans une catégorie générique distincte. Pour ce faire, cliquez dans les cases blanches en regard des sous-catégories que vous avez sélectionnées de manière à afficher la petite paire de jumelles. Dans cet exemple, sont sélectionnées les sous-catégories *Campagne* et *Expo Photos*.

3 Dans l'espace central de visualisation des images, sont affichés les clichés qui correspondent aux deux étiquettes sélectionnées, et uniquement ceux-là. De ce fait, le nombre d'images a diminué. Cette recherche a mis de côté les photos non marquées de ces deux étiquettes à la fois. ■

Rechercher dans l'historique

1 Une image est un fichier et un fichier sauvegardé sur votre ordinateur est daté. Fort de cette évidence, Adobe a imaginé une frise de navigation temporelle, située entre la barre d'outils et l'interface de visualisation des images.

2 Si vous avez cliqué sur le bouton **Date (Ordre décroissant)**, les images les plus récentes sont affichées en haut et à droite de l'interface, et les plus anciennes sont en bas de la pile. Observez la frise. Le curseur de la barre est placé à l'extrémité droite. Dans cet exemple, la plus récente image date de mars 2003.

3 Positionnez le pointeur de la souris sur le curseur de la barre temporelle. Le pointeur se transforme en une main. Tout en maintenant le bouton gauche de la souris enfoncé, déplacez le curseur de la frise vers une date antérieure. Vous constatez que l'affichage des images, dans l'espace de visualisation, évolue et remonte, lui aussi, le temps, pour afficher les images enregistrées à la même époque. ■

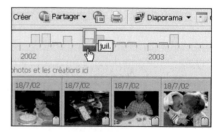

L'affichage des vignettes

Cet exemple est plus probant si vous choisissez un mode d'affichage du type *Grandes vignettes*. Pour ce faire, cliquez sur le bouton correspondant situé en bas et à gauche de l'interface de visualisation. Sachez que l'image affichée dans l'angle supérieur gauche de l'espace de visualisation correspond à la première image datée de l'époque sélectionnée dans la frise. Si vous importez, depuis votre appareil photo numérique, une grande quantité d'images, leur ordre d'affichage n'est pas dicté par une date d'importation identique, mais par l'ordre alphabétique ou alphanumérique des fichiers numériques (les noms de fichier sont obligatoirement différents).

Rechercher sur une période

Vous pouvez définir un espace temporel personnalisé de manière à réduire le champ de recherche de la frise :

1 Activez le menu **Recherche/Définir la période**.

2 La fenêtre **Définir la période** s'ouvre. Elle est composée de deux volets, nommés *Date de début* et *Date de fin*. Définissez la parenthèse temporelle pour réduire le spectre de recherche de vos images. Dans cet exemple, seuls les fichiers sauvegardés entre le 1er juillet 2002 et le 31 août 2002 seront sélectionnés.

La frise s'est considérablement contractée et les

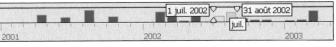

images n'entrant pas dans cet espace de temps sont noircies et inaccessibles.

3 Pour effacer cette parenthèse temporelle, activez le menu **Recherche/Effacer la période**. ■

Rechercher selon le type de support

La recherche par type de media ouvre votre logiciel à d'autres fichiers que les images. Pour commencer, vous allez définir quels médias visualiser. Audio ? Vidéo ? Vos créations sous Photoshop Album ? Tous ces fichiers à la fois ?

···➤ **1** Quel que soit le type de fichier à ouvrir, assurez-vous que Photoshop album est configuré pour pouvoir le lire. Pour ce faire, ouvrez le menu **Affichage/Types de support**.

2 Dans la fenêtre **Éléments affichés**, cochez l'ensemble des quatre cases, de manière à pouvoir ouvrir tous les fichiers multimédias dont vous disposez. Validez via le bouton OK.

3 Activez le menu **Recherche/Par type de support**, puis sélectionnez au sein du menu déroulant le type de fichier que vous souhaitez afficher. Dans cet exemple, nous choisissons les fichiers audio présents sur notre catalogue. Dans l'interface de visualisation, les fichiers audio ne sont pas symbolisés par une image, mais par un logo. ■

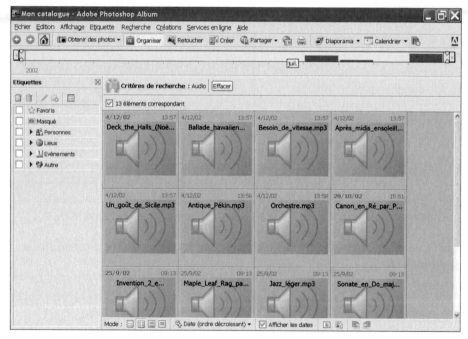

Pour savoir comment importer et lire des fichiers multimédias, lisez la fiche pratique *L'audio et la vidéo aussi* !

Chapitre 4

Retouche
d'images

Que serait un logiciel d'Adobe sans un module dédié à la correction des photos ? Photoshop Album porte en lui les « gênes » de la plus illustre des applications de retouche d'images. Il permet d'optimiser des photographies sans aucune difficulté.

Pour vous exercer, nous mettons à votre disposition l'image *cathédrale.jpg* sur le site de Micro Application à l'adresse www.microapp.com. Vous la trouverez dans le dossier *Chapitre 04*.

Le message d'accueil

1 Dans l'interface principale de Photoshop Album, sélectionnez l'image à retoucher. Cliquez sur la vignette : elle se pare d'un liséré jaune. Attention : vous ne pouvez sélectionner qu'une seule image à retoucher à la fois. Au besoin, Photoshop Album se charge de vous rappeler à l'ordre.

Pour retoucher une image, il est impératif de l'importer dans Photoshop Album. Pour en savoir plus sur l'importation de photos, reportez-vous au chapitre *Acquisition d'images*.

2 L'image étant sélectionnée, il faut maintenant ouvrir l'interface de retouche. Deux méthodes sont envisageables : soit vous ouvrez la fenêtre **Guide pratique**, soit vous cliquez sur le bouton **Retoucher** de la barre d'outils horizontale. Cette seconde méthode est beaucoup plus directe (et évite de passer par la fenêtre **Guide pratique**, ce qui impose de naviguer). Utilisez donc le bouton **Retoucher**.

La fenêtre Guide pratique est décrite au chapitre *Présentation de l'interface*.

3 Un message
d'avertissement s'affiche.
Ce message vous informe
que vous ne modifierez
pas l'original de votre
image mais une copie,
automatiquement créée
par Photoshop Album.

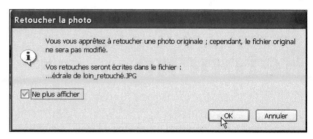

Pour preuve, observez le nom du fichier créé : il comporte la mention « retouché ».
Cette façon de travailler sur un fichier nouveau en préservant l'original est un point
fort de la retouche d'images de Photoshop Album. Ainsi, vous pouvez appliquer
toutes sortes de modifications sans craindre de commettre une erreur irrémédiable,
ce qui est rassurant. Pour ne plus afficher ce message à l'avenir, cochez la case *Ne
plus afficher*. Cliquez sur OK pour passer à l'interface de retouche d'images. ■

L'interface de retouche

Examinons l'interface de retouche, véritable logiciel au sein de Photoshop Album.

■ Les trois onglets situés au-dessus de l'image permettent d'afficher la photo dans son état d'origine (**Original**), après modification (**Après**) ou d'afficher les deux états côte à côtes (**Avant & Après**).

■ Les icônes + et – permettent de zoomer au sein de l'image.

■ Si l'image est fortement agrandie, les barres d'ascenseur verticales et horizontales permettent de naviguer dans l'image.

■ La liste déroulante affichant par défaut *Taille écran* permet de définir une valeur de zoom précise. Cette valeur va de *3,125 %* (un très petit format d'affichage) à *1 600 %* (un zoom très proche des pixels de la photo, valable pour une image de très haute définition).

■ Le bouton **Rotation horaire** permet d'opérer une rotation à 90° dans le sens des aiguilles d'une montre (ou en sens inverse, avec le bouton **Rotation antihoraire**), sans avoir à sortir de l'interface de retouche.

■ La flèche *Version originale* annule toutes vos modifications et affiche l'image dans son état d'origine.

■ Le bouton illustré d'un tournesol permet d'éditer l'image en cours dans le logiciel Adobe Photoshop Elements 2.0, version « grand public » de Photoshop basée sur la version 7 du logiciel de retouche professionnel. Ce bouton n'est pas actif si vous ne disposez pas du logiciel, préalablement installé sur votre machine.

■ Dans la rubrique des fonctionnalités du module de retouche, l'option *Retouche par simple clic* est sélectionnée par défaut. Un simple clic sur une autre option permet de changer de fonctionnalités.

■ La rubrique située en bas et à droite affiche les outils propres à la retouche d'images, en fonction de l'option choisie dans la rubrique précédente.

Améliorer les images d'un clic

La première option que propose Photoshop Album consiste à améliorer les images de façon aussi sommaire que rapide. Il s'agit de la méthode *Retouche par simple clic*, sélectionnée par défaut dès l'ouverture de l'interface de retouche. Vous pouvez rehausser les couleurs de votre image ou sa luminosité d'un seul clic de souris.

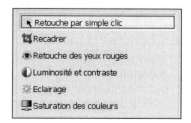

···⟩ **1** Pour une meilleure visibilité des retouches appliquées à votre image, cliquez sur l'onglet **Après**. Ainsi, vous observerez en détail l'avancée de vos travaux.

2 La rubrique des outils propres à la méthode *Retouche par simple clic* affiche quatre moyens de réparation.

■ Dans le cas d'une photo aux couleurs un peu passées, cliquez sur le bouton **Couleurs automatiques**. L'image présentée en exemple est à l'origine assez terne. Un simple clic renforce la saturation des couleurs. Pour observer la modification, cliquez sur l'onglet **Avant & Après**. Les deux images sont côte à côte, l'original étant celle de gauche.

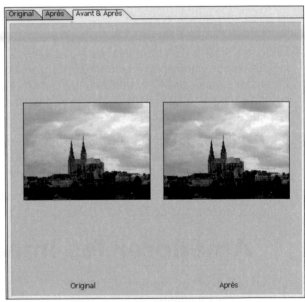

■ Vous pouvez, au besoin, améliorer les niveaux de votre image en cliquant sur le bouton **Niveaux automatiques**. Les valeurs de tons clairs, moyens et foncés sont modifiées automatiquement. Voyez la différence sur nos deux images. Sachez qu'une modification (ici, les niveaux) se superpose à la précédente manipulation, de sorte qu'il est possible de cumuler plusieurs effets sur une même image.

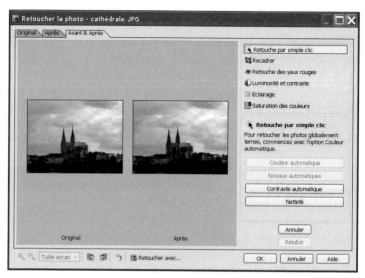

■ Pour améliorer les contrastes d'une image à l'origine trop plate, utilisez le bouton **Contraste automatique**.

■ Le bouton **Netteté** permet d'apporter un peu plus de précision à une image. Attention : cette netteté est purement artificielle. En effet, une image floue à la prise de vue reste floue lors de son

traitement sous Photoshop Album, celui-ci se contentant généralement d'accentuer les contours (définis automatiquement) de l'image. Voici l'image *cathédrale.jpg*, après trois clics sur le bouton **Netteté** ; le résultat est affiché dans la fenêtre **Après**.

3 Votre image vous convient ? Les travaux de retouche appliqués via l'option *Retouche par simple clic* vous paraissent satisfaisants ? Dans ce cas, validez votre travail en cliquant sur OK.

4 Attention : votre image n'est pas visible dans l'interface principale car, même si elle existe sur votre disque dur, elle n'a pas encore été importée dans le catalogue de vos images sous Photoshop Album. Pour l'importer, activez le menu **Fichier/Obtenir des photos/À partir de fichiers et de dossiers**.

5 La fenêtre **Obtenir des photos à partir de fichiers et de dossiers** s'ouvre. Parcourez votre

disque dur à la recherche du dossier où est sauvegardée l'image originale. Dans cet exemple, il s'agit du dossier *Images exemples* (le nom de dossier est probablement différent sur votre machine).

6 Une fois le dossier ouvert, cliquez sur le fichier que vous venez de modifier. L'image retouchée porte la mention « Retouché », en plus du nom de fichier d'origine. Appréciez l'aperçu puis cliquez sur **Obtenir des photos** pour importer l'image dans Photoshop Album. Attribuez-lui une étiquette. ■

Pour en savoir plus sur les étiquettes, lisez le chapitre *Organisation des images*.

Recadrer une image

Bien souvent, une photographie prise sur le vif n'est pas parfaitement cadrée (sauf, évidemment, si vous prenez votre temps pour cadrer). Fort de son expérience en retouche d'images, Adobe a intégré dans Photoshop Album un module pour la correction des erreurs de cadrage, de sorte que vous pouvez saisir des images en toute liberté. Pour vous exercer à utiliser ce module, affichez l'image *cathédrale.jpeg*, mise à votre disposition sur le site de Micro Application (www.microapp.com).

1 Sélectionnez dans votre interface l'image *cathédrale.jpeg*, puis cliquez sur le bouton **Retoucher**.

2 Dans la fenêtre **Retoucher la photo** qui s'ouvre, cliquez sur le bouton **Recadrer**.

Dans cet exemple, il y a beaucoup trop de ciel gris, ce qui fait perdre son intérêt au sujet principal, à savoir la cathédrale. Voici le réglage par défaut proposé par Photoshop Album. Vous allez modifier ce recadrage.

3 Passez le pointeur de votre souris à l'intérieur du cadre : celui-ci se transforme en une main. Tout en maintenant le bouton gauche de la souris enfoncé, cliquez à l'intérieur du cadre en pointillés blancs et déplacez-le vers le haut de manière à intégrer dans le cadrage le haut du bâtiment. Relâchez le bouton de la souris.

4 Déplacez maintenant le pointeur de la souris sur une poignée de redimensionnement. Celles-ci sont situées à chaque angle et au milieu de chaque côté du cadre en pointillés. Le pointeur de la souris se transforme en une flèche à double tête. À l'aide des poignées, étirez le cadre en pointillés : le bâtiment est davantage mis en valeur. Notez qu'en éliminant le ciel, vous modifiez les dimensions de l'image.

5 Pour valider le recadrage, cliquez sur le bouton **Appliquer le recadrage** dans le cadre *Recadrer*.

6 Dans la fenêtre de visualisation, le nouveau cadrage apparaît. Cliquez sur l'onglet **Avant & Après** pour comparer votre travail de recadrage et l'image d'origine. L'image est mieux cadrée, le sujet étant parfaitement mis en évidence.

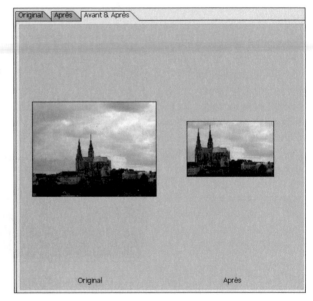

7 Si le résultat ne vous convient pas, cliquez sur le bouton **Annuler**. Si, par contre, il correspond à vos attentes, cliquez sur le bouton OK.

8 L'image porte désormais le nom de fichier original suivi de la mention « Retouché ». Il ne vous reste plus qu'à l'importer dans Photoshop Album. ■

Un autre mode de recadrage est disponible dans Photoshop Album : il s'agit du cadrage avec restriction. Il permet de recadrer les images en fonction de leurs utilisations futures. Pour vous informer sur ce mode, consultez la fiche pratique *Recadrer avec restriction* à la fin de cet ouvrage.

Ôter les yeux rouges

Les yeux rouges sont l'ennemi du photographe d'intérieur qui, pour compenser une lumière trop faible, utilise son flash. Le résultat est, hélas, souvent décevant : la photo est superbe, le sujet est adorable… mais ses yeux sont rouges vifs ! Photoshop Album dispose d'une parade particulièrement efficace, qui évite les déceptions. Pour vous exercer à corriger des yeux rouges, nous mettons à votre disposition sur www.mciroapp.com, dans le dossier *Chapitre 04*, l'image *yeux rouges.jpeg*.

1 Importez puis sélectionnez l'image *yeux rouges.jpeg*. Cliquez maintenant sur le bouton **Retoucher** de la barre d'outils.

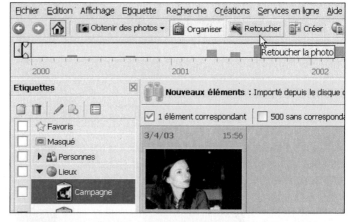

2 Sélectionnez le bouton **Retouche des yeux rouges**.

3 Comme pour le module de recadrage, un carré en pointillés blancs s'affiche dans l'espace de visualisation de la fenêtre **Retoucher la photo**. Sélectionnez l'onglet **Après** de façon à disposer du plus large espace de visibilité possible.

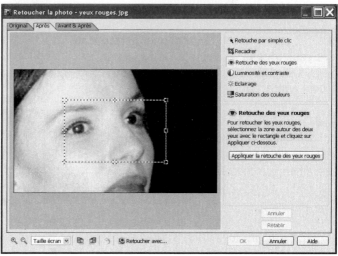

4 Par défaut, le zoom est sur l'option *Taille écran*. Pour corriger les yeux rouges du sujet, il est nécessaire de s'en approcher le plus possible. Sélectionnez par conséquent une taille de zoom qui isole totalement l'œil dans la fenêtre de visualisation (ici, *800 %*). L'œil du sujet n'étant pas centré dans l'image, déplacez-vous à l'aide des barres d'ascenseur verticales et horizontales de manière à obtenir une image où l'œil est parfaitement centré.

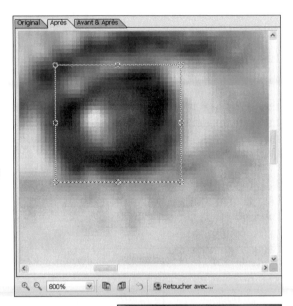

5 Même lorsque vous zoomez, la taille du carré de sélection n'évolue pas. Comme vous l'avez fait précédemment avec l'outil de recadrage, définissez à l'aide des poignées de redimensionnement un cadre de petite taille, puis placez-le autour de la pupille à modifier.

6 Cliquez sur le bouton **Appliquer la retouche des yeux rouges** pour corriger la couleur de l'œil. Selon les images et la saturation du rouge d'origine, vous aurez peut-être besoin de recommencer cette opération à plusieurs reprises.

7 En cliquant sur l'onglet **Avant & Après**, vous pouvez constatez une différence concrète.

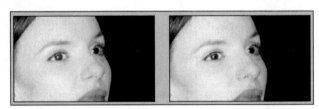

8 Au besoin, corrigez l'autre œil. Pour ce faire, déplacez-vous au sein de l'image sans sortir de la fenêtre **Retoucher la photo**, à l'aide des barres d'ascenseur. Appliquez la même opération. Si le résultat vous satisfait, validez par le bouton OK. ■

La luminosité et le contraste

Pourquoi se satisfaire d'images plates et sans relief quand la puissance de Photoshop se met au service des utilisateurs de Photoshop Album ? L'exemple qui suit montre comment redonner vie à des images ternes et plates et dans quelle mesure la luminosité et le contraste sont deux caractéristiques fondamentales de tout travail de retouche d'images. Pour vous exercer, vous pouvez utiliser l'image *mer.jpeg*, disponible sur www.microapp.com dans le dossier *Chapitre 04*.

1 Importez puis sélectionnez le fichier *mer.jpeg*. Le problème de cette image vient du fait que le soleil était masqué lors de la prise de vue. Ouvrez la fenêtre **Retoucher la photo** en cliquant sur le bouton **Retoucher** de la barre d'outils.

2 Cliquez sur le bouton **Luminosité et contraste**.

3 Réglez le zoom sur l'option *Taille écran* de manière à afficher l'intégralité de l'image dans la fenêtre de visualisation. Si ce n'est déjà fait, cliquez sur l'onglet **Après**.

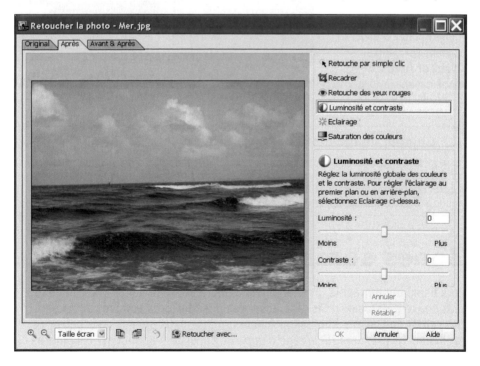

4 Dans la rubrique *Luminosité et contraste*, vous disposez de deux curseurs. Chacun d'eux s'accompagne d'une case définie pour le moment à zéro.

5 Commencez par la luminosité. L'image sélectionnée est sombre. Il faut donc augmenter la quantité de lumière. Pour ce faire, déplacez, à l'aide de la souris (bouton gauche enfoncé), le curseur

vers la droite de sorte à afficher *15* dans la case des valeurs de luminosité.

6 Déplacez maintenant le curseur *Contraste* vers la droite de façon à afficher *30* dans la case située au-dessus. Vous pouvez aussi entrer directement cette valeur dans la case, le curseur évoluant vers la droite automatiquement.

7 Désormais le ciel bleu est plus intense et le relief des vagues plus perceptible. Affichez un aperçu des transformations en cliquant sur l'onglet **Avant et Après**. Si les

modifications vous conviennent, validez votre image par le bouton OK. ■

Chaque image a ses caractéristiques

Chaque image nécessite un traitement de luminosité et de contraste qui lui est propre. Il vous appartient de définir celui-ci en ajoutant (entrez alors une valeur positive) ou en retirant (définissez une valeur négative) progressivement un point jusqu'à trouver le bon compromis.

Zones sombres, zones pâles

Lors d'une photographie en intérieur, la lumière produite par le flash rougit le plus souvent les yeux, mais crée aussi des déséquilibres notables au niveau des reliefs de l'image. Photoshop Album propose deux options pour pallier ce problème. La première, *Éclairage d'appoint*, consiste à déboucher les ombres, la seconde, *Éclairage en contre-jour*, permet d'atténuer la puissance de la lumière artificielle. Pour les besoins de la démonstration, utilisez l'image *bougies.jpeg*, disponible sur le site de Micro Application (www.microapp.com), dans le dossier *Chapitre 04*.

Sélectionnez l'image *bougies.jpeg* et cliquez sur le bouton **Retoucher** de la barre d'outils. Dans la fenêtre **Retoucher la photo**, activez l'onglet **Après**, puis cliquez sur le bouton **Éclairage**.

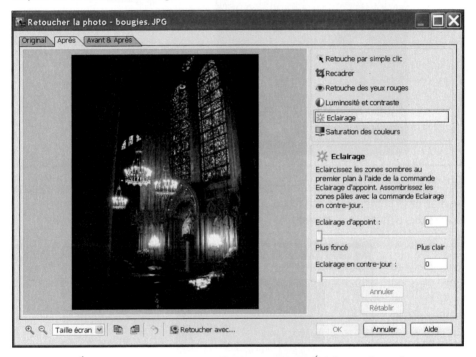

La rubrique *Éclairage* propose deux outils de retouche : *Éclairage d'appoint* et *Éclairage en contre-jour*.

Lors de la prise de vue de cette photo, le flash, orienté vers le centre de la scène, a gommé le relief et la texture de la colonne de gauche. Il faut donc déboucher les ombres. Pour ce faire, entrez une valeur de +15 dans la case *Éclairage d'appoint*. Le résultat est immédiat : la colonne sur la gauche est bien plus visible. De plus, la scène centrale gagne en chaleur car son intensité est rehaussée.

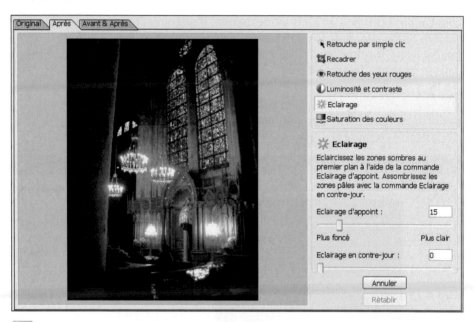

3 Cependant, cette dernière opération provoque un petit problème : lorsque vous ajoutez de la lumière de cette façon, la lumière dégagée par les chandeliers suspendus augmente et devient un peu trop artificielle. Amenez le curseur de l'option *Éclairage en contre-jour* à une valeur de *+10*. Vous ne perdez pas la lumière d'ensemble de l'image, mais les bougies, auparavant un peu artificielles, récupèrent une intensité plus naturelle.

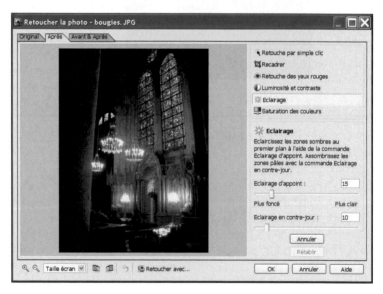

4 Vos réglages effectués, validez par le bouton OK. Votre image est sauvegardée sur votre disque sous son nom de fichier d'origine, suivi de la mention « Retouché ». ■

Les couleurs

Vous avez compris comment recadrer une image afin de recentrer l'intérêt sur le sujet principal et comment corriger les défauts de luminosité des photographies. Nous allons nous intéresser maintenant au troisième pôle sensible d'une image : la couleur. Utilisez l'image *mouette.jpeg* pour réaliser l'exercice suivant. Elle est disponible dans le dossier *Chapitre 04* sur le site de Micro Application (www.microapp.com).

1 Importez puis sélectionnez l'image *mouette.jpeg*. Ouvrez la fenêtre **Retoucher la photo** en cliquant sur le bouton **Retoucher** de la barre d'outils.

2 Cliquez sur **Saturation des couleurs**.

3 La valeur indiquée dans la case *Saturation* est zéro. Cela signifie que l'image a ses caractéristiques colorimétriques initiales. Déplacez le curseur pour obtenir une valeur positive de *40*. Les couleurs de l'image sont immédiatement renforcées.

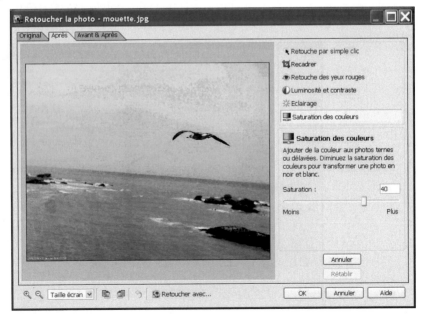

4 Poussé à son maximum (*+100*), le curseur de saturation donne presque du relief à l'image. Sur certains clichés, le résultat se rapproche d'un effet de solarisation. Cela dit, abuser de la saturation n'est peut-être pas nécessaire.

5 Basculez maintenant le curseur à l'opposé, de manière à avoir une valeur négative de *–100*. Vous obtenez ainsi une complète désaturation, en l'occurrence un noir et blanc parfait. Il vous appartient d'augmenter la luminosité avec l'option *Luminosité et contraste*. ■

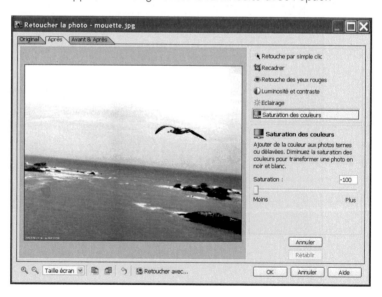

Chapitre 5

Créations
à partir d'images

Le numérique permet de retoucher et de manipuler facilement tout support image. Grâce à Photoshop Album, il est simple de créer des cartes de vœux, un calendrier ou une véritable galerie de photos en ligne. Ainsi, vous allez bénéficier de la puissance légendaire de Photoshop sans en subir les contraintes techniques. Mais avant de vous lancer dans les divers exercices que nous proposons afin de vous familiariser avec l'application d'Adobe, il convient de récapituler les différents chemins d'accès à la création.

Accéder à la création

Comme souvent chez Adobe, il n'existe pas un, mais plusieurs moyens d'accès à la création : via le menu **Création**, via la fenêtre **Guide pratique** ou la fenêtre **Espace de travail**. Pour simplifier l'accès aux divers exercices qui vont suivre, vous partirez d'un point de départ identique. Vous lancerez les divers processus de création à partir d'un ensemble d'images étiquetées.

Au sujet des étiquettes, lisez le chapitre *Organisation des images*.

Via le menu

Accéder aux fonctions de création peut se faire via le menu général de l'interface de Photoshop Album.

···❯ **1** Les images étiquetées en vue d'une création sont affichées dans l'espace principal de visualisation de Photoshop Album. Pour effectuer une sélection d'une partie de ces images, laissez enfoncée la touche (Ctrl). Les photos choisies sont alors entourées d'un cadre jaune.

2 Cliquez sur **Edition** dans la barre de menus générale du logiciel. Il s'agit de la barre grise placée tout en haut de l'interface générale. Dans le menu qui s'affiche, cliquez sur **Ajouter les éléments sélectionnés à Espace de travail**.

3 La fenêtre **Espace de travail** s'ouvre alors, affichant les photos que vous avez sélectionnées auparavant.

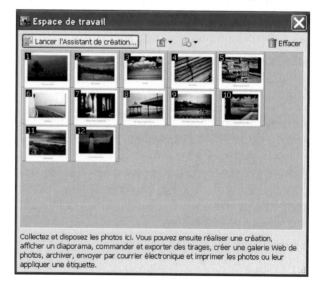

4 Démarrez l'assistant et suivez les différentes étapes que nous vous proposons dans chaque section. ■

Via la fenêtre Guide pratique

La fenêtre **Guide pratique** est certainement la manière la plus simple et la plus conviviale d'accéder aux multiples possibilités de Photoshop Album. C'est du reste cette méthode que nous avons choisie pour développer chaque processus de création dans la suite de ce chapitre.

1 Cliquez sur les photos que vous souhaitez utilisez pour votre création. Elles sont entourées d'un cadre jaune. Cliquez sur l'icône *Guide pratique* située en haut et à droite de l'interface générale du logiciel.

2 Cliquez sur l'icône *Créations*.

3 Vous pouvez démarrer votre travail sur les photos sélectionnées. Vous ferez la connaissance des icônes et de leurs fonctions tout au long de ce chapitre. ■

Via l'espace de travail

Vous pouvez passer par l'espace de travail de Photoshop Album. Cette fenêtre est accessible via le bouton **Créer** de la barre d'outils de Photoshop Album, située entre la barre grise contenant les divers menus (tels **Fichier**, **Edition**, **Affichage**, etc.) et la frise chronologique de vos photos.

1 Cliquez sur les photos que vous désirez utiliser. Elles sont entourées d'un cadre jaune. Cliquez sur l'icône *Créer* située entre les icônes *Retoucher* et *Partager*.

2 La fenêtre **Espace de travail** s'ouvre et intègre instantanément les images que vous venez de sélectionner. Vous êtes prêt à créer. ■

Créer

Vos images sont prêtes ? Vous avez choisi la méthode d'accès à la création sous Photoshop Album qui convient le mieux à vos habitudes de travail ? Alors allons-y.

Un *album photos*

Photoshop Album permet de constituer de véritables banques d'images sous forme d'albums photos virtuels. Conservées sur votre disque dur ou gravées sur CD-Rom, les photos présentes dans ces albums ne se détérioreront jamais, laissant ainsi vos souvenirs à l'abri de tout vieillissement. Nous allons voir ici comment créer un album à partir de vos images. L'objectif est d'imprimer cet album.

> ### Imprimer à la bonne résolution
>
> Il est impératif de déterminer à l'avance la façon que vous allez exploiter votre création. Dans le cas présent, vous allez concevoir un album photos en vue de l'imprimer. Pour obtenir une bonne impression, il est nécessaire de numériser les images à une bonne résolution : elle ne doit pas être inférieure à 150 dpi. En deçà, après un processus de création d'un temps certain, le message suivant s'affiche : « Résolution trop faible pour une impression à cette taille ». Frustrant, non ?

Quelques bases pour une bonne sélection

Si, malgré le soin apporté à l'organisation de vos images via les étiquettes, des images ont été oubliées, il est possible de les intégrer tardivement dans votre création. Dans le même ordre d'idées, si une image vous déplaît, vous pouvez l'enlever de votre création. Dans un cas comme dans l'autre, il est inutile de tout reprendre depuis le début. Voyons cela dans le détail. Notez que ces bases sont valables dès lors qu'une création passe par l'espace de travail.

1 Affichez les photos que vous désirez glisser dans l'album. Dans notre exemple, ces images proviennent de l'étiquette *Album Photo*, un ensemble d'images préalablement préparées.

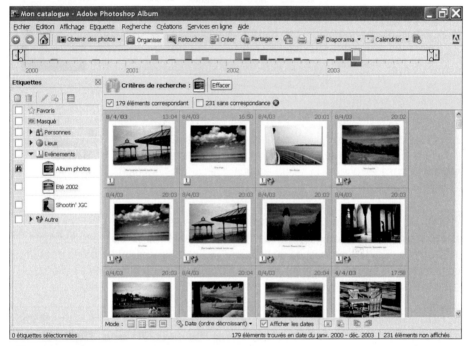

2 Ouvrez la fenêtre **Guide pratique** en cliquant sur l'icône appropriée située en haut et à droite de l'interface générale du logiciel, puis cliquez sur l'icône *Création*.

3 Cliquez ensuite sur l'icône *Album*.

4 S'ouvre alors la fenêtre **Espace de travail**, qui intègre automatiquement vos images.

5 Si vous avez oublié d'intégrer une image à votre création, sélectionnez-la directement depuis le conteneur d'images. S'il y en a plusieurs, laissez enfoncée la touche Ctrl et cliquez sur chacune d'elles. Les vignettes des photos que vous avez choisies sont entourées d'un cadre jaune.

6 Cliquez sur vos clichés et faites-les glisser dans le cadre de la fenêtre **Espace de travail**. Le pointeur de la souris se métamorphose en une main solide agrippant les photos pendant le déplacement.

7 Quand le pointeur de la souris est au-dessus de l'espace de travail, relâchez le bouton gauche : les images s'intègrent à celles précédemment incorporées durant le processus de création. Les photos sont numérotées dans le coin supérieur gauche des vignettes. Cela indique l'ordre de passage des clichés dans l'album. La première photo figurera en couverture de votre création.

8 Dans l'espace de travail, vous pouvez changer l'ordre des photos. Pour cela, cliquez sur la photo que vous voulez déplacer, sans relâcher le bouton de la souris. Le pointeur se change en main. Vous pouvez repérer la future place de votre image grâce à un petit liseré jaune placé à gauche de l'emplacement.

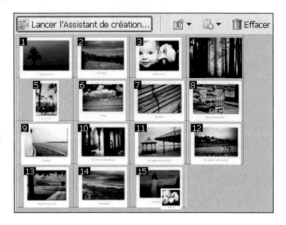

9 Si une image (ou un groupe d'images sélectionnées grâce à la
touche (Ctrl)) n'a plus vos faveurs et que vous souhaitiez la supprimer
de votre création, sélectionnez-la puis faites-la glisser sur la poubelle *Effacer*.
L'image est effacée de l'album en cours de fabrication (de l'album seulement, et non
de votre disque dur).

🗑 Effacer

Autre méthode : cliquez du bouton droit sur le cliché en question et sélectionnez
Supprimer de l'espace de travail.

10 Une fois votre choix d'images définitif et vos images dans l'ordre qui vous
convient, cliquez sur le bouton **Lancer l'assistant de création**. ■

L'album photos dans le détail

1 Ouvrez la fenêtre **Assistant de création**. Dans le menu **Choisir un style
d'album** sont disponibles plusieurs modèles : *Simple*, *Pleine photo*, *Décoratif* et
Saisons, chacun possédant des variantes. Au total, vous avez le choix entre dix
styles différents.

2 Pour cet exemple, choisissez le style *Simple/Moderne*. Notez que la marche à
suivre est la même, quel que soit le style choisi. À droite de la fenêtre, vous pouvez
visualiser un aperçu de l'album photos ainsi qu'un bref descriptif du style choisi.
Cliquez
sur
Suivant.

3 Dans cette étape intitulée **Personnaliser votre Album**, vous allez inclure un titre sur la couverture. Pour cela, dans la rubrique *Inclure la page de titre*, laissez la case *Titre* cochée et

entrez votre texte (au maximum 20 caractères). Ce titre viendra en écriture grasse et en caractères de grande taille, en haut de la première page de votre album.

4 Dans la rubrique *Pages centrales*, vous pouvez choisir les séquences de passage de vos photos. À l'aide de la liste déroulante *Photos par page*, décidez du nombre de photos présentes par page (1, 2, 3 ou 4) ou de leur fréquence (une sur la première page, deux sur la deuxième, une sur la troisième, etc.). Dans cet exemple, choisissez de placer trois photos par page.

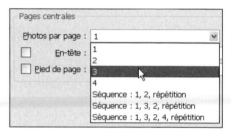

5 Dans cette même rubrique, indiquez si vous souhaitez laisser visibles les

légendes que vous avez ajoutées, le cas échéant, à chaque photo. Vous pouvez aussi intégrer un numéro à chaque page de votre album. Pour ce faire, cochez les cases correspondantes. Attention : la légende correspondant à la première photo (celle située sur la couverture de votre album) ne sera pas affichée.

6 Toujours dans la rubrique *Pages centrales*, vous pouvez ajouter deux petits descriptifs ou commentaires

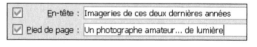

(au maximum 50 caractères). Le commentaire intitulé *En-tête* sera placé en haut de chaque page et viendra en taille moyenne, et le commentaire *Pied de page* sera placé en bas à gauche. Cliquez sur **Suivant**.

7 L'étape **Prévisualiser votre Album** offre un aperçu de votre création, très utile avant une impression ou une gravure. En dessous de la fenêtre de visualisation se trouvent quatre boutons qui permettent de naviguer dans l'album. De gauche à droite, vous trouvez le bouton pour revenir à la première page, pour revenir à la page précédente, pour aller à la page suivante et enfin pour aller à la dernière page.

Survolez chaque bouton avec le curseur de la souris pour afficher les info-bulles correspondant à chaque bouton.

8 En bas de
cette fenêtre, vous pouvez choisir de visualiser votre album en mode Plein écran en cliquant sur le bouton **Aperçu plein écran**.

9 Une fois en mode Plein écran, les pages défilent seules, mais vous pouvez accélérer le mouvement ou l'interrompre en cliquant sur les touches ressemblant à celles d'un lecteur audio. Cliquez sur la croix rouge à l'extrême droite pour sortir du mode Plein écran.

10 En mode Plein écran, une fois la prévisualisation lancée (en cliquant sur le bouton de lecture), vous pouvez faire disparaître la barre de navigation en cliquant sur la croix située en haut et à gauche de la barre. Vous visualisez alors votre création telle qu'elle apparaîtra une fois finalisée.

11 Un clic droit ouvre un menu déroulant à partir duquel vous pouvez mettre en pause la prévisualisation (la ligne correspondante est alors cochée) ou quitter le diaporama.

12 Si l'ordre des photos ne vous convient pas, vous pouvez le corriger en cliquant sur **Réorganiser les photos**.

13 Cette action vous ramène à la fenêtre **Espace de travail** où vous pouvez arranger l'ordre d'apparition de vos clichés (comme expliqué précédemment). Cliquez sur **Retour à l'Assistant** pour revenir à la fenêtre **Prévisualiser votre album**. Si votre album est terminé, cliquez sur **Suivant**.

14 La dernière étape est intitulée **Publier votre Album**. Dans le volet gauche de la fenêtre, vous pouvez voir le résumé des actions effectuées : date de création de la photo, nom du fichier (qui est par défaut le titre que vous avez donné précédemment à votre album). Vous pouvez renommer le fichier de

votre album. Pour cela, décochez la case *Utiliser le titre pour nom* et entrez un nouveau nom de fichier.

15 Dans la rubrique droite de la fenêtre, nommée *Options de sortie*, vous avez le choix entre différentes possibilités de sortie : enregistrement au format PDF, impression, envoi par e-mail, gravure, etc. Pour que l'album que vous venez de concevoir soit imprimé, cliquez sur le bouton **Imprimer**.

16 La fenêtre classique d'impression, propre à la configuration de votre matériel, s'ouvre. Réglez vos paramètres de sortie, notamment en termes de qualité de papier, et lancez l'impression. ∎

Un diaporama au format PDF

Pour les amateurs de séances diapos, Photoshop Album se charge de classer les clichés, puis de les associer dans un diaporama, et d'accompagner le tout de musique. Vous allez créer un diaporama et l'enregistrer au format PDF afin de faciliter son envoi par e-mail, par exemple.

Pour plus de renseignements sur les formats de fichier reconnus par Photoshop Album, reportez-vous à la fiche *Les formats de fichier de Photoshop Album*.

Les bases du diaporama

1 Sélectionnez les photos que vous désirez insérer dans votre diaporama. Pour une plus grande clarté dans notre démonstration, nous partons d'une sélection d'images regroupées sous la même étiquette.

2 Ouvrez la fenêtre **Guide pratique** en cliquant sur l'icône appropriée en haut et à droite de l'interface générale du logiciel. Cliquez sur *Création* puis sur *Diaporama*.

3 La fenêtre **Espace de travail** s'ouvre et affiche les photos que vous venez de sélectionner. Elle constitue votre base de travail. Vous pouvez ajouter les photos que vous désirez, les enlever ou encore les classer, comme vous l'avez fait pour l'album précédemment créé. L'ordre dans lequel apparaissent les photos dans cette fenêtre sera le même dans votre diaporama.

4 L'espace de travail peut prendre différentes formes physiques, en particulier si vous intégrez un grand nombre de photos à votre diaporama. Dans l'angle inférieur droit de la fenêtre réside un petit triangle en pointillés sombres. Approchez le pointeur de votre souris de cet angle : le pointeur se transforme en une flèche à deux têtes. En maintenant le bouton gauche de la souris enfoncé, vous pouvez étirer la fenêtre de manière à afficher un plus grand nombre de vignettes. Cliquez sur **Lancer l'assistant de création**.

5 L'étape se nomme **Choisir un style Diaporama**. Au total, dix styles différents sont proposés dans la rubrique gauche de la fenêtre. Pour cet exemple, choisissez le style *Moderne*. Un aperçu est alors affiché dans la partie droite de la fenêtre, accompagné d'un commentaire sur le style choisi.

6 Une fois votre choix effectué, cliquez sur **Suivant**. La nouvelle étape est intitulée **Personnaliser votre Diaporama**. ▉

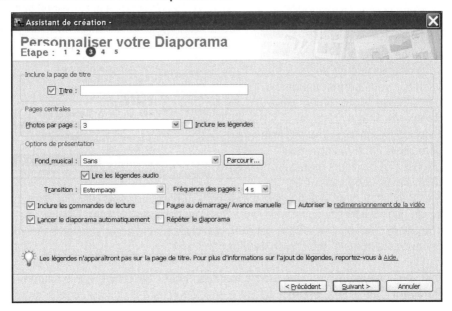

Affiner la présentation

···▷ **1** Dans la première rubrique de cette étape, intitulée **Inclure la page de titre**,

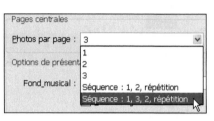

vous pouvez choisir d'afficher un titre sur la première page de votre diaporama. Laissez la case cochée et entrez votre texte (20 caractères au maximum).

2 Dans la rubrique *Pages centrales*, choisissez les séquences de passage de vos photos. Dans la liste déroulante, vous avez le choix entre une photo par page, deux photos, trois photos, ou encore des séquences répétitives du type : une photo sur la première page, trois sur la deuxième,

deux sur la troisième, une sur la quatrième, etc. Choisissez la séquence qui vous convient. Dans cet exemple, optez pour la dernière possibilité.

3 À droite de la liste déroulante, indiquez si vous souhaitez afficher les légendes que vous avez précédemment

Inclure les légendes
Inclure les légendes des photos sur les pages centrales

associées à vos clichés. Selon le cas, cochez ou décochez la case correspondante.

4 Dans la rubrique suivante, nommée *Options de présentation*, vous disposez de plusieurs fonctions vous permettant de personnaliser au maximum votre diaporama. Tout d'abord, la musique d'ambiance. Dans la liste déroulante *Fond musical*, vous disposez de plusieurs morceaux fournis avec votre logiciel. Ils

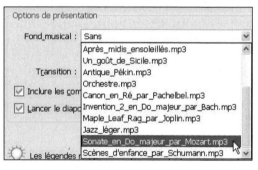

seront joués en boucle pendant le diaporama. Vous pouvez aussi décider de ne pas accompagner votre diaporama de musique. Pour cela, sélectionnez, dans la liste déroulante, l'option *Sans*. Dans cet exemple, choisissez d'accompagner les images de quelques notes d'une sonate de Mozart.

5 Vous pouvez inclure votre propre musique. Pour cela, cliquez sur le bouton **Parcourir**. Dans l'arborescence de votre ordinateur, recherchez les fichiers au format

WAV ou MP3. Notez que le format WAV n'est pas compressé et qu'il alourdit terriblement un diaporama, comparé au très populaire format MP3. N'oubliez pas que le but de cet exercice est d'envoyer le diaporama par e-mail...

6 Sous l'option de musique, laissez cochée la case *Lire* ☑ Lire les légendes audio *les légendes audio* si vous avez précédemment enregistré des commentaires pour vos photos et si vous voulez qu'ils soient repris dans votre diaporama.

Pour plus de renseignements sur ces enregistrements, reportez-vous à la fiche *Enregistrer une légende audio*.

7 Dans la liste déroulante *Transition*, choisissez Transition : Fondu ▾ comment les photos s'affichent et disparaissent de votre écran. Le mode de transition le plus souple est de loin le mode par défaut nommé *Fondu*.

8 Via la liste déroulante *Fréquence des pages*, Fréquence des pages : 10 s ▾ décidez du temps de visualisation de chaque photo. Vous avez le choix entre 2, 4 ou 10 secondes par cliché. Sélectionnez l'option *10 s* pour que les « spectateurs » aient le temps de profiter de vos œuvres. C'est d'autant mieux que vous avez décidé de montrer jusqu'à trois images par page !

9 En bas de cette liste se trouvent cinq options ☑ Inclure les commandes de lecture que vous pouvez cocher ou décocher. La Inclure la bande de commande de lecture première, *Inclure les commandes de lecture*, vous permet de décider si vous voulez conserver ou non, pendant le visionnage, le lecteur situé en bas à droite de l'écran. Ce lecteur, très pratique, permet de diriger le diaporama à l'aide des habituelles commandes d'un lecteur audio. Il est conseillé de cocher cette case.

10 Si vous cochez *Pause au* ☐ Pause au démarrage/ Avance manuelle *démarrage/Avance manuelle*, c'est vous qui déciderez du commencement du diaporama en cliquant sur le bouton de lecture. Cette option n'est pas très utile. Pour privilégier un fonctionnement automatique, bien plus agréable, ne cochez pas la case.

11 Comme vous avez choisi d'afficher plus ☐ Autoriser le redimensionnement de la vidéo d'une image par page, il est inutile de cocher la case *Autoriser le* **redimensionnement de la vidéo**.

Redimensionner la vidéo

Qu'il s'agisse d'un diaporama ou d'un album photos, qui empruntent tous deux les mêmes bases de création, il vous sera proposé de redimensionner vos images. Si vous choisissez un modèle où seule une image est affichée, il est préférable d'adapter celle-ci à la taille de votre écran. Attention cependant : une image de faible résolution, étendue à la totalité d'un écran de 17 pouces, risque d'être pixellisée, d'où une perte de qualité. En conclusion, utilisez cette option si vos images sont de petite taille et de grande résolution. Si vos images sont de résolution et de taille moyennes, laissez cette case décochée : aucune détérioration ne sera à craindre.

12 Laissez cochée la case *Lancer le diaporama automatiquement.* Ainsi, le logiciel chargé de lire le diaporama déclenchera celui-ci dès l'ouverture du fichier PDF. Le logiciel en question est un plug-in intitulé Acrobat Reader. Il est gratuit et très facilement téléchargeable à l'adresse www.adobe.fr. Prenez soin d'avertir les destinataires de l'e-mail de la nécessité d'installer préalablement ce plug-in.

☑ Lancer le diaporama automatiquement

13 Enfin, si vous désirez que votre diaporama tourne en boucle, cochez la case *Répéter le diaporama.*

☑ Répéter le diaporama

14 Après avoir choisi les options désirées, cliquez sur **Suivant**. Vous arrivez à l'étape **Prévisualiser votre diaporama**. ■

Visualiser le diaporama

1 Pour naviguer dans les différentes pages de votre diaporama, cliquez sur les boutons appropriés en bas du cadre de prévisualisation. Vous pouvez suivre votre progression grâce aux repères numériques qui s'affichent entre ces boutons, du type « Page 8 sur 12 ».

2 Cliquez sur **Aperçu plein écran** si vous désirez voir votre diaporama tel qu'il sera lu par le plug-in Acrobat Reader, avec les options et la musique choisies.

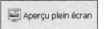

3 Cliquez sur la croix rouge située à droite de la barre de lecture pour sortir de la prévisualisation. Pour faire disparaître cette barre de l'écran, cliquez sur la croix située à gauche. Vous pouvez ensuite sortir du diaporama en cliquant du bouton droit et en choisissant **Quitter le diaporama**, ou plus simplement en appuyant sur le bouton (Echap).

4 Cliquez sur **Réorganiser les photos** pour retourner dans l'espace de travail et décider d'un nouvel ordre de passage de vos clichés. La manipulation est identique à celle décrite dans la section dédiée à la création d'un album photos. Vous reviendrez ensuite à cette étape et cliquerez sur **Suivant**.

Préparer l'envoi du diaporama

1 L'étape suivante se nomme **Publier votre Diaporama**. À gauche de la fenêtre figure une rubrique appelée *Résumé*, qui précise la date de création du diaporama ainsi que son nom d'enregistrement (par défaut, c'est le titre que vous avez choisi).

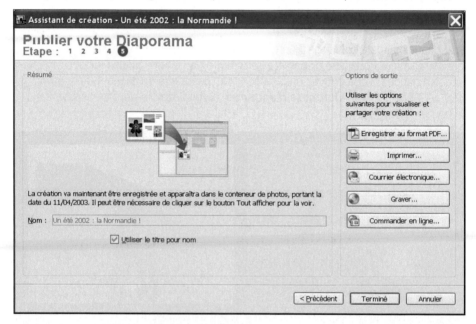

2 Dans la rubrique *Options de sortie* située à droite de la fenêtre, cliquez sur le bouton **Enregistrer au format PDF**.

3 Une fenêtre intitulée **Enregistrer au format PDF** s'ouvre. Vous avez le choix entre trois options de taille et de qualité. Le diaporama devant être envoyé par e-mail puis visualisé sur un moniteur classique, sélectionnez l'option *Optimiser pour l'affichage à l'écran*. Validez par OK.

4 Une fenêtre représentant l'arborescence de votre ordinateur s'ouvre. Choisissez l'emplacement ainsi que le nom du fichier PDF que vous allez créer. Cliquez sur **Enregistrer**.

5 Une fois votre fichier PDF enregistré, une fenêtre s'affiche vous montrant l'évolution de l'enregistrement de votre diaporama en pourcentage.

6 De retour dans l'assistant de création, cliquez sur **Terminé** : votre diaporama apparaît parmi les vignettes de vos photos. ■

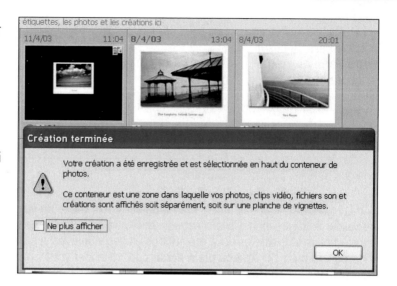

Des cartes de vœux

Constituez vous-même vos propres cartes de vœux à partir de vos photos ! Laissez libre cours à votre originalité et à votre créativité. Nous allons voir ici comment créer une carte de vœux en vue de l'imprimer et de l'envoyer par courrier à vos proches.

1 Vous vous servirez d'une seule image pour la création de votre carte de vœux. Affichez et cliquez sur la photo en question en la sélectionnant dans l'espace principal de visualisation. Elle s'entoure d'un cadre jaune.

2 Ouvrez la fenêtre **Guide pratique**. Cliquez sur *Création*, puis sur *Carte de vœux*.

3 La photo s'affiche dans l'espace de travail. Cliquez sur le bouton **Lancer l'assistant de création**.

4 Dans l'étape **Choisir un style Carte de vœux**, vous avez le choix entre vingt-deux styles de cartes différents. Choisissez celui qui répond à vos attentes. Un aperçu et un commentaire sur le style choisi apparaissent dans le volet droit de la fenêtre. Remarquez que vous pouvez adapter votre carte au format de votre image de base : verticale pour les portraits, horizontale pour les paysages. Votre choix fait, cliquez sur **Suivant**.

5 L'étape suivante se nomme **Personnaliser votre Carte de vœux**. Attribuez un titre à votre carte, précisez le caractère événementiel des vœux que vous souhaitez adresser, et rédigez le message. Les champs remplis, cliquez sur **Suivant**.

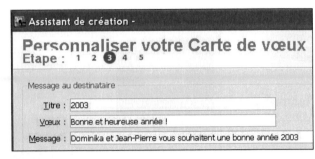

6 La quatrième étape, intitulée **Prévisualiser votre Carte de vœux**, vous permet de valider votre création. Celle-ci est constituée de deux pages : la première avec la photo choisie et le titre qui lui a été attribué, la seconde avec vos vœux et votre message. Cliquez sur **Aperçu plein écran** pour visionner votre création et sur **Réorganiser les photos** si vous désirez changer de photo. Votre carte de vœux vous plaît ? Cliquez sur **Suivant**.

7 À l'étape **Publier votre Carte de vœux**, la rubrique gauche intitulée *Résumé* précise la date de création ainsi que le nom d'enregistrement de la carte de vœux. Votre titre est utilisé en guise de nom si vous laissez cochée la case *Utiliser le titre pour nom*. Celui de cet exemple étant trop vague, vous allez le modifier.

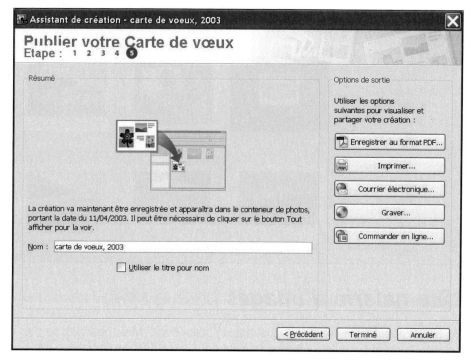

8 À droite de cette fenêtre, dans la rubrique *Options de sortie*, cliquez sur le bouton **Imprimer**.

9 La fenêtre de votre imprimante s'ouvre alors. Réglez vos paramètres en fonction du papier que vous avez glissé dans votre périphérique et lancez l'impression. Un conseil : lancez systématiquement une impression basique sur un papier de qualité quelconque, pour éviter de gaspiller un coûteux papier photo en cas de problème.

10 La carte imprimée, il n'y a plus qu'à la poster ! Cliquez sur **Terminé**. Votre carte de vœux apparaît en vignette sur votre écran. Vous pouvez l'ouvrir à tout instant pour de nouvelles impressions. ■

Une galerie d'images pour le Web

Un album photos que l'on garde à la maison, c'est bien ! Mais pourquoi ne pas faire partager vos meilleurs moments avec ceux qui n'ont pas l'occasion de venir chez vous ? En créant un album en ligne et en envoyant à vos amis l'adresse Internet correspondante, vous leur permettrez, où qu'ils se trouvent, de découvrir ou de redécouvrir vos meilleurs moments.

Poser les bases du site

···⟩ **1** Affichez sur les photos que vous souhaitez partager en ligne en sélectionnant une ou plusieurs étiquettes. Cliquez sur l'icône *Guide pratique*, puis sur *Création* et enfin sur *Galerie Web photos*.

2 La fenêtre **Galerie Web photos avec éléments sélectionnés** s'affiche.

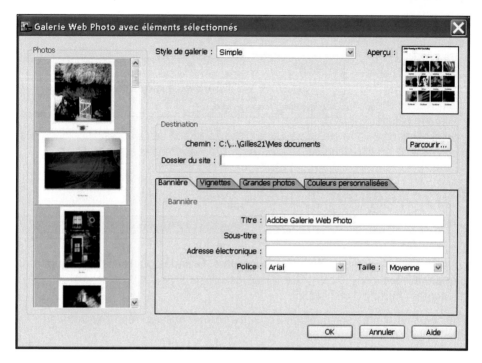

3 Dans la rubrique gauche de la fenêtre, nommée *Photos*, vous pouvez visionner les vignettes de chacune des images que vous avez sélectionnées.

4 Dans la liste déroulante *Style de galerie*, vous avez le choix entre sept modèles de sites web. Choisissez celui qui vous convient grâce au cadre de visualisation situé à droite de la fenêtre. Le style *Projecteur* accompagne cet exemple. Ce style ne demande aucun

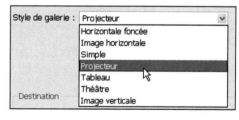

effort particulier de conception et est particulièrement élégant.

5 Dans la rubrique *Destination*, entrez le nom du dossier dans lequel vous souhaitez que votre album soit sauvegardé. En cliquant sur **Parcourir**, vous accédez à l'arborescence de votre ordinateur pour sélectionner un dossier déjà existant, par exemple. Dans cette arborescence, vous pouvez également créer un nouveau dossier en cliquant sur le bouton **Créer un nouveau dossier**. Si c'est l'option que vous avez choisie, attribuez un nom explicite à votre dossier, comme « mon site Web ». Validez par OK.

6 Dans le champ *Dossier du site*, choisissez un libellé pour votre galerie

web. Il contiendra votre création et sera placé à l'endroit de l'arborescence que vous avez choisi au point précédent, ici *c:/.../mon site web/images en ligne.* ■

Personnaliser la galerie web

···▶ **1** Sous la rubrique *Destination* se trouve un cadre contenant quatre onglets : **Bannière**, **Vignettes**, **Grandes photos**, et **Couleurs personnalisées** (dans le cas présent inaccessible, le style de galerie choisi n'autorisant aucune modification).

Pour en savoir plus sur l'option *Couleurs personnalisées*, reportez-vous au chapitre *Le coin des passionnés*.

2 L'onglet **Bannière** vous permet de configurer un petit espace sur votre page dans lequel seront affichés le titre de la page, un sous-titre, ainsi que votre adresse e-mail.

Remplissez les cases que vous désirez, sachant qu'aucune n'est obligatoire. Les options de police de caractères sont indisponibles en raison du modèle choisi.

Lisez le chapitre *Le coin des passionnés* pour apprendre à les configurer.

3 L'onglet **Vignettes** vous sert à paramétrer les images de taille réduite présentes sur la page et qui serviront de

repères aux internautes lors de leur navigation. Ainsi, il leur suffira de cliquer sur l'une de ces vignettes pour afficher la photo en taille réelle. Dans la rubrique *Photos*, décidez de la taille des vignettes : *Petite, Moyenne, Grande* ou *Très grande*. Sélectionnez l'option *Moyenne*.

4 L'onglet **Grandes photos** permet de configurer l'aspect des

☑ Photo redimensionnée : Moyenne ▾

images qui s'affichent suite à un clic sur l'une des vignettes. Dans la rubrique *Photos*, choisissez le format *Moyenne* dans la liste déroulante.

5 Vous pouvez aussi décider de la

Qualité de photo : Faible ———————ͷ——————— Haute

qualité de rendu des photos. S'il s'agit de photos de moyenne résolution, laissez le curseur au centre de la règle. Si vos images sont « lourdes » (plus de 200 Ko), faites glisser le curseur vers *Faible*. Vous perdrez très peu en qualité et, côté visiteurs, la navigation sera facilitée.

6 La galerie est conforme à vos attentes ? Cliquez sur le bouton OK. Souvenez-vous que ce modèle ne permet pas de configurer les polices de caractères, ni de personnaliser les couleurs du site. ■

Le chapitre *Le coin des passionnés*, qui explique des tâches ardues, consacre une large partie à l'amélioration de l'aspect visuel d'un site web... en trois dimensions.

Prêt à l'envoi !

⇢ **1** Votre album est maintenant prêt à être téléchargé sur le Web. Cliquez sur OK. Une fenêtre vous montre la progression d'enregistrement de vos paramètres.

2 La fenêtre **Navigateur galerie Web photos** qui s'ouvre vous permet de simuler la navigation dans votre site. De cette façon, vous pouvez naviguer comme le feront les internautes une fois le site en ligne. Cliquez sur l'une des vignettes pour voir la photo correspondante à l'écran.

3 Ce site n'est actuellement pas sur le Web et Photoshop Album ne propose pas de fonction pour le télécharger. ■

Le chapitre *Le coin des passionnés* vous apprendra à le faire.

Une carte de vœux... *virtuelle*

Pratique, rapide et conviviale, l'e-carte de vœux permet de souhaiter, de façon très « branchée », la nouvelle année aux amis et à la famille. Une fois la carte créée, Photoshop Album vous permet de l'envoyer directement par e-mail.

Poser les bases

1 Sélectionnez la photo que vous souhaitez utiliser pour votre e-carte de vœux. Affichez ensuite la fenêtre **Guide pratique**, puis cliquez sur l'icône *Création*, et enfin sur *Carte électronique*.

2 La photo sélectionnée s'affiche dans l'espace de travail. Cliquez sur le bouton **Lancer l'Assistant de création**.

3 Dans l'étape **Choisir un style Carte électronique**, choisissez, via la liste déroulante, l'un des vingt-deux styles proposés. Un aperçu ainsi qu'un petit commentaire s'affichent sur la partie droite de la fenêtre. Choisissez le style et cliquez sur **Suivant**. Dans la mesure du possible, harmonisez les couleurs du style avec celles de l'image sélectionnée.

Affiner l'e-carte

1 L'étape **Personnaliser votre Carte électronique** vous permet d'entrer l'ensemble des informations que

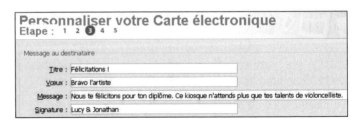

vous voulez communiquer à votre correspondant. Dans la rubrique *Message au destinataire*, remplissez les champs *Titre* (20 caractères au maximum), *Vœux* (30 caractères au maximum), *Message* et *Signature* (20 caractères au maximum), de la même manière que pour une carte de vœux classique. Ces informations seront visibles sur la deuxième page de votre e-carte de vœux.

2 Dans la rubrique *Options de présentation*, attribuez à votre carte une

musique d'ambiance, parmi celles proposées dans la liste déroulante. Vous pouvez aussi la sélectionner dans l'arborescence de votre ordinateur en cliquant sur **Parcourir**. Il est préférable de se contenter des boucles fournies par Photoshop Album. Très légères, elles n'augmentent pas le poids final de la création, ce qui n'est pas le cas d'un fichier personnel. N'oubliez pas que vous allez envoyer cette e-carte de vœux par e-mail !

3 Si vous avez inséré une légende audio à votre photo, indiquez si vous souhaitez l'afficher ou non, en cochant ou en décochant la case correspondante. La légende audio viendra se joindre à la musique choisie précédemment.

4 Dans le champ *Transition*, décidez de quelle manière les deux pages se succéderont. Vous avez le choix entre plusieurs modes. Choisissez, par exemple, l'un des balayages, où la seconde image « chasse » la première assez délicatement.

5 La liste déroulante *Fréquence des pages* permet de décider le temps d'affichage de la première page avant de passer automatiquement à la deuxième. Vu la boucle musicale choisie, sélectionnez une durée de *10* secondes de manière à ne pas couper la musique trop violemment.

6 En bas de la rubrique *Options de présentation*, cochez la case *Inclure les commandes de lecture*. Ainsi, vous donnez au destinataire de la carte toute la liberté possible pour visualiser la carte. Laissez la case *Pause au démarrage/Avance manuelle* vierge.

7 Laissez cochée la case *Autoriser le redimensionnement de la vidéo* de manière que l'image choisie, surtout si elle est de grande taille, s'adapte à l'écran du destinataire de l'e-carte. Cliquez ensuite sur **Suivant**.

8 L'étape suivante,
**Prévisualiser votre carte
électronique**, vous permet de
vérifier que votre carte est telle
que vous la désirez. La première
page présente votre photo ainsi
que son titre.

Félicitations !

9 La seconde montre les
messages que vous avez rédigés.

Bravo l'artiste

Nous te félicitons pour ton diplôme. Ce kiosque
n'attends plus que tes talents de violoncelliste.

Lucy & Jonathan

10 Vous avez la possibilité de
visualiser votre œuvre en mode Plein

Aperçu plein écran   Réorganiser les photos

écran en cliquant sur le bouton **Aperçu plein écran**. Vous pouvez, le cas échéant,
changer la photo que vous aviez choisie pour une autre, en cliquant sur **Réorganiser
les photos**. Cliquez sur **Suivant** pour préparer l'envoi. ■

Envoyer l'e-carte

···▷ **1** L'étape **Publier votre Carte électronique** vous permet d'enregistrer l'e-carte
dans votre catalogue. Soit vous conservez le titre figurant sur la première page
comme nom de fichier (dans ce cas, laissez cochée la case *Utiliser le titre pour
nom*), soit vous en choisissez un autre (dans ce cas, ne cochez pas ladite case et
saisissez un nouveau nom dans le champ *Nom*).

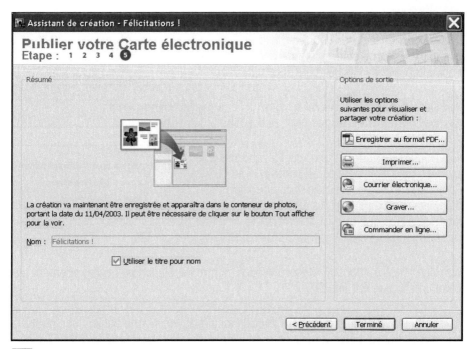

2 Dans la rubrique à droite, nommée *Options de sortie*, cliquez sur le bouton **Courrier électronique**.

3 La fenêtre **Joindre des éléments de création au courrier électronique** s'ouvre. Le volet *Pièce jointe* affiche la première page de la carte de vœux, la rubrique *Envoyer à* vous permet de définir l'adresse e-mail du destinataire de la carte. S'il n'y a pas le moindre contact dans votre carnet d'adresses, ou si

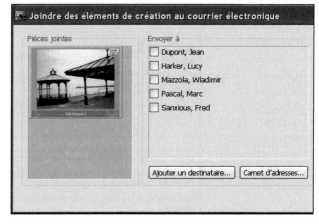

l'adresse de la personne à qui vous destinez la carte de vœux n'y figure pas, cliquez sur le bouton **Ajouter un destinataire**.

4 Dans la fenêtre qui s'affiche, remplissez les champs indiqués et cliquez sur OK. Laissez cochée la case *Ajouter au carnet d'adresses* si vous désirez que le contact que vous venez de créer figure dans le carnet d'adresses électroniques de Photoshop Album. Cliquez sur OK.

5 Dans la rubrique *Envoyer à*, votre destinataire est automatiquement sélectionné.

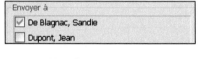

6 Dans la rubrique *Taille et qualité*, choisissez la première des trois options : *Optimiser pour l'affichage à l'écran*. N'oubliez pas que votre destinataire recevra sa carte dans sa boîte aux

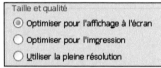

lettres électronique et qu'il la verra sur le moniteur de son ordinateur. Notez que l'e-carte de vœux sera enregistrée au format PDF. Validez par OK.

7 Une fenêtre Adobe Photoshop Album montre l'évolution de l'enregistrement de votre création au format PDF.

8 La fenêtre suivante donne les informations relatives à votre fichier : son poids approximatif ainsi que la vitesse estimée d'envoi avec un modem 56 Kbit/s. Cliquez sur OK si les valeurs affichées vous paraissent correctes.

9 Photoshop Album déclenche le logiciel de messagerie électronique installé sur votre machine et lui « passe la main ». Le modem se connecte à Internet et la carte est expédiée à son destinataire.

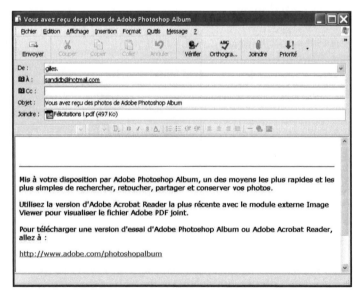

10 Vous êtes de retour dans Photoshop Album. Votre carte est maintenant terminée, vous pouvez cliquer sur le bouton **Terminé**. Cette action a pour effet d'enregistrer votre carte de vœux, en tant que création, dans le catalogue de Photoshop Album. ■

Un calendrier

Vous pouvez créer un calendrier plus original que celui de la poste ou des pompiers. Chaque mois, redécouvrez les images qui vous rappellent vos meilleurs souvenirs. Vous allez apprendre à créer rapidement un calendrier personnalisé en vue de l'imprimer. La seule chose que Photoshop Album ne sait pas encore faire, c'est planter le clou dans le mur de la cuisine !

1 Sélectionnez les photos que vous voulez sélectionner. Pour un calendrier de l'année, il faut prévoir une photo pour la page de garde et une photo par mois, soit un total de treize photos.

2 Ouvrez la fenêtre **Guide pratique**, puis cliquez sur *Création* et enfin sur *Calendrier*.

3 Les photos sélectionnées se retrouvent dans l'espace de travail. Vous pouvez les ranger dans l'ordre désiré, sachant que la première photo sera affichée sur la page de garde, la deuxième au mois de janvier, et ainsi de suite jusqu'à décembre. Un conseil : homogénéisez les images en fonction des mois.

4 Dans l'étape **Choisir un style Calendrier**, sélectionnez le style parmi ceux qui sont présentés. Un aperçu s'affiche dans la partie droite de la fenêtre. Le style

Classique à la verticale est parfait pour des images au format paysage. Cliquez ensuite sur **Suivant**.

5 L'étape suivante, **Personnaliser votre Calendrier**, vous permet d'inclure ou non un

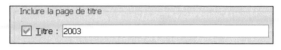

titre sur la page de garde de votre calendrier. Si vous le souhaitez, entrez votre texte (20 caractères au maximum) dans la zone *Inclure la page de titre*.

6 La rubrique intitulée *Options de calendrier* vous permet de choisir l'étendue de l'année que vous voulez couvrir. Chaque mois correspond à une page et à une photo. Vous choisissez le mois et l'année de départ ainsi que le mois et l'année de fin.

> ### Photoshop Album voit loin !
>
> Adobe vous permet d'utiliser ce logiciel jusqu'en 2011 ! Plus sérieusement, l'option permettant de sélectionner des mois, plutôt que (seulement) des années, paraît curieuse au premier abord, mais elle est finalement très pratique. Si, lors de l'impression ou lors de l'assemblage des pages composant votre calendrier, une page vient à se dégrader, vous pourrez relancer le processus de création sur la base de cette page, et d'elle seule. Pratique !

7 Si vous le désirez, laissez cochée la case *Inclure les légendes* pour que les légendes des photos soient affichées sur votre calendrier. Cliquez sur **Suivant**.

8 L'étape **Prévisualiser votre calendrier** offre un aperçu de votre création. Vous pouvez naviguer dans les différentes pages en cliquant sur les boutons appropriés placés sous le cadre de prévisualisation. Le numéro de page s'affiche entre ces boutons.

9 Vous pouvez cliquer sur **Aperçu**

plein écran pour visionner votre
calendrier page par page, en mode Plein écran. Au besoin, cliquez sur **Réorganiser
les photos** pour revenir à l'espace de travail et déplacez vos clichés. Tout est
conforme à vos souhaits ? Cliquez sur **Suivant**.

10 L'étape **Publier votre Calendrier** affiche la date d'enregistrement de votre
création. Vous pouvez également entrer son nom si vous voulez qu'il soit différent
du titre que vous avez utilisé. Les options de sortie dans le volet droit de la fenêtre
permettent de choisir le type de sortie que vous voulez utiliser. Vous souhaitez une
impression ? Dans ce cas, cliquez sur le bouton **Imprimer** et suivez les instructions
de l'interface de votre imprimante.

11 Une fois votre création imprimée, conservez-la en cliquant sur **Terminé**. ■

Quel papier choisir ?

Il existe aujourd'hui un grand nombre de modèles d'imprimantes et des papiers de
différentes qualités. Si votre imprimante est à jet d'encre, nous vous conseillons
d'utiliser un papier photo mat. En effet, celui-ci résistera mieux aux traces de doigts
et gardera « l'aspect photo » de vos images. Côté grammage, comptez un
minimum de 200 g pour du papier photo de bonne facture, voire 260 g pour du
papier professionnel.

Commander un album en ligne

La dernière possibilité de création que propose Photoshop Album est nettement
plus mercantile que les autres. Il s'agit de créer un album photos (ce que vous
savez faire) et de fournir les bases de votre création à un site partenaire qui,
moyennant une somme d'argent, vous expédiera votre album par la poste. Ledit
album sera relié et imprimé sur du papier photo de qualité professionnelle. Il est
impératif, afin d'obtenir le meilleur résultat possible, de sélectionner des images
de haute définition.

1 Sélectionnez les images depuis le conteneur de photos de Photoshop Album.
Ouvrez la fenêtre **Guide pratique**, sélectionnez l'option *Création*, puis *Album
photos*.

2 Dans la fenêtre **Choisir un style Album photos**, des modèles sont à votre disposition. Les tarifs sont mentionnés dans la partie droite de cette fenêtre. Votre choix effectué, cliquez sur **Suivant**.

3 À l'étape **Personnaliser votre Album photos**, rédigez des textes de présentation et affinez la mise en page de votre album en incluant, par exemple, légendes et numéros de page.

4 Après une prévisualisation, cliquez sur **Suivant** et cliquez sur le bouton **Commander en ligne**.

5 Dans la fenêtre **Imprimer les éléments à l'aide du service en ligne MyPublisher**, sélectionnez le service disponible et cliquez sur OK.

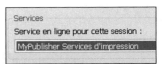

6 Après la fabrication du fichier PDF, votre ordinateur se connecte à Internet et joint le service commercial partenaire de Photoshop Album. Lors d'une première visite, il vous est demandé de vous inscrire. Remplissez les champs requis de manière à arriver à la fenêtre correspondant à la capture d'écran suivante. Remplissez également les champs demandés. Cliquez enfin sur **Connexion**.

7 La suite n'est qu'une question de commerce entre vous et le service auquel vous êtes connecté. Sélectionnez les modèles et prenez garde à bien remplir les fiches de livraison. ■

Ouvrir une création
dans un catalogue

Vos créations figurent dans votre catalogue sous forme de vignette, comme toute photo. Dans le cas d'un diaporama, la vignette correspond à la première image de celui-ci. Une petite icône figure en haut et à droite de cette vignette.

La recherche globale

1 Pour retrouver vos différentes créations enregistrées dans votre disque dur, activez le menu **Recherche/Par type de support/Créations**.

2 Photoshop Album affiche la liste de toutes les créations que vous avez créées sous forme de vignettes.

3 Double-cliquez sur la vignette correspondante. Vous arrivez dans la fenêtre **Assistant de création**, à l'étape **Prévisualisation**. ■

La recherche précise

···▸ **1** De la même manière, vous pouvez retrouver les photos qui ont servi à cette création. Pour cela, activez le menu **Recherche/Par historique/Éléments utilisés dans les créations**.

2 Dans la nouvelle fenêtre, toutes vos créations sont listées et décrites sur trois colonnes : la première, *Création*, contient le nom des fichiers correspondants ; la deuxième, *Date/Heure*, indique la date de création ; la dernière, *Éléments*, indique le nombre de photos contenues dans la création.

3 Cliquez sur la création qui vous intéresse. Elle est alors entourée de bleu. Cliquez sur OK. Les photos correspondant à votre création s'affichent alors sous forme de vignettes. ∎

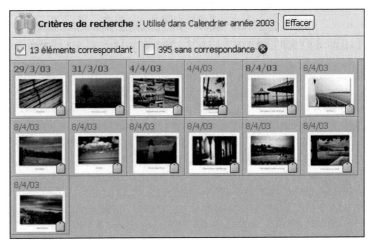

Chapitre 6

Partager
des images

Vous savez maintenant acquérir vos images, les organiser et les retoucher. Il ne vous reste plus qu'à partager vos clichés et vos créations avec votre famille ou vos amis. Pour ce faire, l'interface de Photoshop Album vous propose plusieurs solutions : éditer une sortie papier directement sur votre imprimante locale ou partager vos clichés instantanément par le biais de votre messagerie électronique.

D'autres services en ligne, à buts commerciaux, sont également proposés. Nous ne nous étendrons pas sur ce sujet, préférant concentrer nos efforts sur les fonctionnalités gratuites. À terme, à mesure que ces services se développeront et que Adobe nouera avec des professionnels de la photographie des partenariats commerciaux, il sera possible de commander l'impression d'images ou d'albums photos à un studio professionnel, directement depuis l'interface de Photoshop Album.

Le mode Imprimante locale

Nombre d'imprimantes permettent aujourd'hui de « développer » chez soi des photos de façon quasi professionnelle. Si vous utilisez le papier photo adéquat, seul un œil très averti peut faire la différence entre une « photo maison » et une « photo professionnelle » ! Économique et pratique, ce mode d'impression est aussi simple d'utilisation grâce au Guide pratique. Voyons comment imprimer quatre fois la même image sous Photoshop Album.

⋯⫸ **1** Assurez-vous tout d'abord que votre imprimante est bien connectée à votre machine et que les cartouches d'encre sont suffisamment remplies. Sélectionnez une de vos photos parmi les vignettes présentes à l'écran. Elle est entourée d'un cadre jaune.

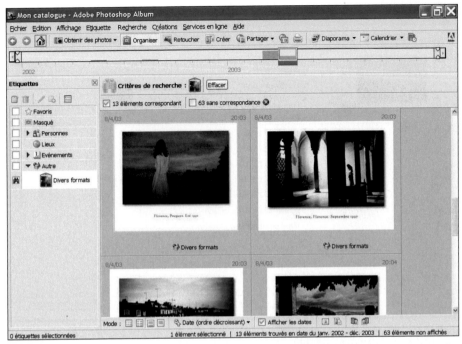

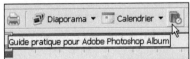

2 Cliquez sur l'icône *Guide pratique* située en haut à droite de l'interface générale de Photoshop Album.

3 Dans la section *Présentation* (qui s'affiche par défaut à l'ouverture du Guide pratique), cliquez sur l'icône *Partage* en bas à droite.

4 Cliquez sur l'icône *Imprimante locale*.

5 Dans la fenêtre intitulée **Imprimer les photos sélectionnées** qui vient de s'ouvrir, vous pouvez visualiser votre image dans la rubrique gauche intitulée *Éléments*.

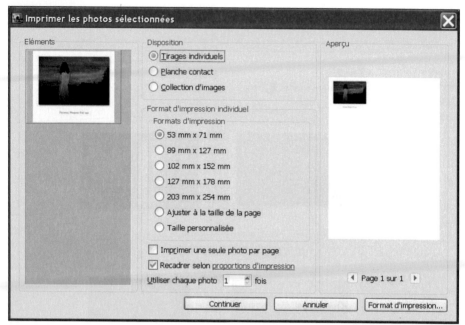

6 Dans la deuxième rubrique, nommée *Disposition*, indiquez quel type de sortie papier vous souhaitez. Vous avez le choix entre *Tirages individuels*, *Planche contact* et *Collection d'images*. Voyons ces différentes possibilités dans le détail. ■

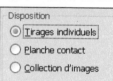

Le tirage individuel

1 Dans la rubrique *Format d'impression individuel*, vous pouvez choisir plusieurs tailles prédéfinies.

2 Selon la définition de votre image, calculée en dpi, une fenêtre intitulée **Avertissement d'impression** s'affiche éventuellement. Elle vous indique que vous perdrez, en termes de définition d'image, ce que vous allez gagner en taille d'impression. Si vous désirez garder la définition initiale de votre photo, vous devez conserver la taille initiale de celle-ci. Sinon, cliquez sur OK.

3 À chaque changement de format dans la rubrique *Formats d'impression*, le cadre de droite vous donne un aperçu de votre impression.

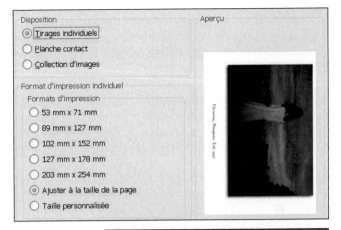

4 Dans cette même rubrique, vous pouvez choisir de dimensionner l'image à votre convenance si les tailles prédéfinies ne répondent pas à vos attentes. Il faut alors cliquer sur l'option *Taille personnalisée*. Une fenêtre de configuration s'affiche. Entrez, en centimètres, pouces ou millimètres, les nouvelles dimensions d'impression de votre photo.

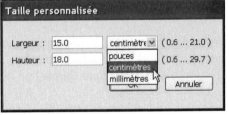

5 En bas de la rubrique *Format d'impression individuel*, laissez cochée l'option *Recadrer selon proportions d'impression*, qui recadre automatiquement votre photo pour

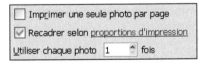

qu'elle corresponde aux dimensions désirées. Attention : cette option « coupe » l'image si elle dépasse les dimensions indiquées. Le cadre *Aperçu* vous permet de surveiller l'évolution du traitement.

6 Dans la liste déroulante *Utiliser chaque photo*, vous pouvez décider du nombre d'exemplaires à imprimer.

Par exemple, si seulement deux exemplaires peuvent être imprimés par page alors que vous voulez en imprimer quatre, l'impression sera répartie sur deux pages.

7 Vous disposez d'un aperçu de l'impression à droite de la fenêtre. En bas de cet aperçu, vous pouvez naviguer d'une page à l'autre si votre impression s'étend sur plusieurs pages.

8 La configuration logicielle de votre impression est maintenant terminée. Vous pouvez changer les paramètres de configuration de votre imprimante en cliquant sur le bouton **Format d'impression**.

9 Dans la fenêtre **Mise en page**, vous pouvez choisir, à l'aide de listes déroulantes, la taille du papier inséré dans votre imprimante (par exemple A4 ou format Lettre) et la source (automatique ou manuelle pour les imprimantes sans bac de feuilles). Choisissez aussi l'orientation de la page (portrait ou paysage) ainsi que les marges.

10 Vous allez maintenant imprimer votre document en cliquant sur **Continuer**. L'interface classique de votre imprimante s'affiche. Cliquez sur OK. L'impression débute. ■

La planche contact

Très prisée des photographes qui peuvent en un coup d'œil se donner un aperçu de leurs images sur une même feuille, la planche contact est un mode d'impression proposé par Photoshop Album.

1 Pour cet exemple, nous avons sélectionné une grande quantité de photos dans l'espace de visualisation de Photoshop Album. Via la fenêtre **Guide pratique** et le bouton **Imprimante locale**, vous ouvrez la fenêtre **Imprimer les photos sélectionnées**. Choisissez l'option *Planche contact*.

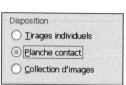

2 Dans la rubrique *Format de la planche contact*, choisissez la taille des colonnes verticales de la page, sachant qu'une photo aura la largeur d'une colonne. Vous pouvez choisir entre 1 et 9 images par page. Pour 11 photos, sélectionnez le mode *4 colonnes*.

3 Dans la rubrique *Afficher les propriétés de la photo*, sélectionnez *Légende*, *Nom de fichier* et *Date*, pour que ces indications figurent sur la planche (elles seront fort utiles pour l'archivage, par exemple).

4 Un aperçu s'affiche immédiatement à droite de la fenêtre.

5 Cliquez sur **Continuer** : l'interface de votre imprimante s'affiche. ■

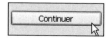

La collection d'images

Vous avez besoin de photos d'identité ? Pour répondre à cette demande, Photoshop Album dispose de l'option *Collection d'images*. Elle permet d'imprimer une seule image, dans différents formats et sur la même feuille, sans gâcher du papier. Cette option est héritée de Photoshop 7, un gage de qualité certain.

1 Dans la fenêtre **Imprimer les photos sélectionnées**, choisissez l'option *Collection d'images* dans la rubrique *Disposition*.

> Disposition
> ○ Tirages individuels
> ○ Planche contact
> ● Collection d'images

2 Dans la rubrique *Format de collection d'images*, une liste déroulante est à votre disposition. Ouvrez-la : elle propose quatre dispositions pour votre image en vue de l'impression.

> Format de collection d'images
> A4 (1)89x127 (16)17x24 (4)30x40 (4)38x52 ▼
> Papier A4 (2) 127 x 178
> Papier A4 (10) Carte de visite 55 x 91
> Papier A4 (2) Carte postale 100 x 148
> A4 (1)89x127 (16)17x24 (4)30x40 (4)38x52

3 Choisissez la dernière option. Les chiffres entre parenthèses correspondent au nombre

> A4 (1)89x127 (16)17x24 (4)30x40 (4)38x52
> pour la collection d'images.

d'exemplaires de la photo, et les tailles qui suivent immédiatement, aux dimensions de la photo. Dans cet exemple, 16 petites images de 16x24 mm seront imprimées.

4 Cliquez sur le bouton **Continuer** pour lancer l'impression. ■

Envoyer une image par e-mail

Vous pouvez envoyer les photos prises lors d'une soirée ou d'un événement festif à l'ensemble de vos amis via votre messagerie électronique. Ils recevront instantanément vos clichés et pourront les imprimer, voire les retoucher s'ils disposent des outils adéquats.

1 Sélectionnez dans l'interface de Photoshop Album, l'image à expédier par e-mail. Ouvrez ensuite la fenêtre **Guide pratique** en cliquant sur l'icône située en haut à droite de l'interface du logiciel. Cliquez sur l'icône *Partage*.

> Courrier électronique

2 Sélectionnez l'option *Courrier électronique*.

Première utilisation de l'e-mail

Dans le cadre d'une première utilisation des services de courrier électronique de Photoshop Album, le logiciel vous demande quel service de messagerie vous souhaitez utiliser par défaut. Choisissez l'application qui vous convient (le plus souvent, il s'agit d'Outlook Express) et validez votre choix. Cette fenêtre ne se représentera plus à l'avenir. Mais vous pourrez toujours changer d'application en sélectionnant **Préférences** dans le menu **Édition** du logiciel, comme indiqué en haut de la fenêtre.

3 La fenêtre **Joindre les éléments sélectionnés au courrier électronique** s'affiche alors.

4 À gauche de cette fenêtre, dans le cadre *Pièces jointes*, vous pouvez visualiser un aperçu de l'image que vous allez envoyer.

5 Le deuxième cadre est intitulé *Envoyer à*. Quand vous utilisez cette interface pour la première fois, le cadre est vide de toute information. Ajoutez un destinataire en cliquant sur le bouton du même nom.

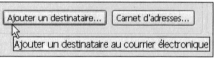

6 Dans la fenêtre qui s'affiche, remplissez les champs avec le prénom, le nom et l'adresse e-mail du destinataire. Laissez cochée la case *Ajouter au carnet d'adresses* afin d'éviter de récrire ces informations la prochaine fois. Cliquez sur OK.

7 Le nouveau destinataire apparaît alors dans le cadre *Envoyer à*. Répétez cette opération autant de fois que nécessaire. La case en regard du nom du destinataire est cochée : celui-ci est donc sélectionné.

À mesure que vos correspondants augmenteront, vous cliquerez sur le bouton **Carnet d'adresses** afin de consulter les adresses électroniques de vos destinataires.

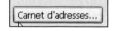

8 Dans la rubrique *Type de fichiers*, deux possibilités s'offrent à vous. La première, nommée *Diaporama PDF*, vous permet de compiler

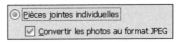

plusieurs photos dans un seul fichier lisible par le plug-in Acrobat Reader. La seconde, sélectionnée dans cet exemple, se nomme *Pièces jointes individuelles*.

9 Dans la rubrique *Taille et qualité*, la liste déroulante concernant la taille moyenne des photos propose *Grande*, *Moyenne*, *Petit* ou *Laisser tel quel*.

10 Afin d'obtenir un bon rapport entre la qualité de l'image et la vitesse de son téléchargement dans la boîte aux lettres électronique de votre correspondant, choisissez l'option *Moyenne*. Vous pouvez visualiser les

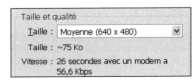

détails de celle-ci : la taille (en kilo-octets) du fichier selon les dimensions choisies, ainsi que la vitesse de transfert, particulièrement utile si vous (ou votre correspondant) êtes connecté en 56 Kbit/s.

11 En cliquant sur le bouton **Personnaliser**, vous pouvez configurer plus précisément la qualité de vos photos. La fenêtre **Préférences** s'affiche alors. Faites glisser le curseur *Qualité*, réglé par défaut sur 6, vers 9 (haute qualité). Validez par OK.

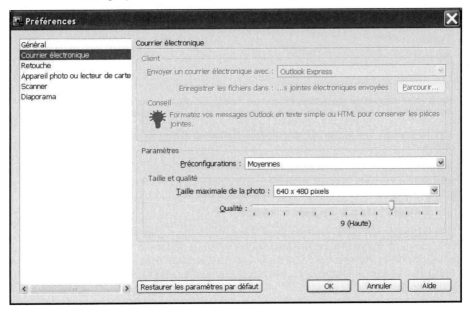

12 Comme le montrent les indications, le poids de votre fichier a augmenté, ainsi que sa vitesse de téléchargement. Si la configuration de votre envoi vous convient, cliquez sur OK.

13 Vous voici dans l'interface d'Outlook Express. Les principales indications (*De, À, Cc, Objet* et *Joindre*) sont déjà complétées. Vous n'avez plus qu'à écrire votre message et le tour est joué ! ■

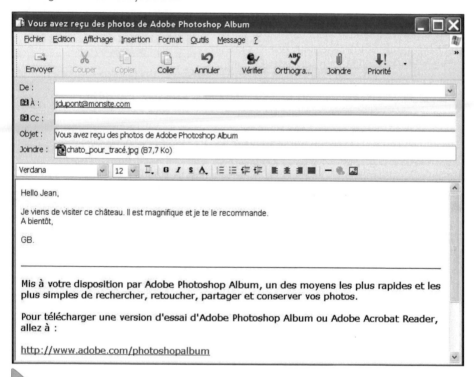

> ### E-mail : deux règles à savoir
>
> Une faible compression augmente le poids d'un fichier. C'est le prix à payer pour une qualité d'image proche de la perfection. Il vous appartient de définir le rapport entre qualité et vitesse. Le choix se fait en fonction de l'utilisation future de l'image envoyée par e-mail (impression, travaux de retouche, simple envoi amical) et du mode de connexion dont vous, et votre correspondant, disposez.

3D, CD Vidéo, archivage

Adobe Photoshop Album n'a désormais plus de secrets pour vous. De l'acquisition au classement, de la création à la gestion des étiquettes de vos fichiers, vous êtes désormais en mesure d'appréhender toutes les fonctions de l'application d'Adobe. Quelques options vont vous permettre de pousser encore plus loin votre potentiel artistique.

Une galerie en 3D

Récemment, la 3D était réservée aux professionnels. De l'animation aux jeux vidéo, elle est désormais incontournable. Certains éditeurs ont vainement tenté ces dernières années de mettre à la disposition du grand public des applications de création (de sites web notamment) en trois dimensions. Mais entre les plug-in à télécharger pour naviguer dans de tels sites et la lourdeur de ceux-ci, les utilisateurs ont été plus que réticents et les créateurs sont retournés vers une 2D plus rassurante. C'était avant l'arrivée de Photoshop Album.

Adobe Photoshop Album dispose en effet d'une fonction de création de galeries de photos en trois dimensions plus qu'intéressante. Doué d'un potentiel surprenant, le logiciel professionnel de création 3D Atmosphere, qui a vu le jour en 2002, a été repensé dans une version grand public. Ladite version est nichée dans Photoshop Album.

Si vos sites vous paraissent plats, entrez dans le monde de la troisième dimension et redonnez vie à vos images en ligne.

Poser les bases de la galerie

1 Avant toute chose, sélectionnez vos images. Pour débuter, contentez-vous d'en choisir un nombre restreint : sélectionnez une douzaine de clichés. Libre à vous par la suite de créer de plus vastes galeries.

Le coin des passionnés

Pas d'images trop lourdes

Prenez garde à ne pas choisir des images trop lourdes. En effet, le but de cet exercice est de mettre en ligne la galerie en trois dimensions. Or, 3D ou pas, une image lourde reste longue à télécharger. Des images, prises par un appareil photo numérique, et affichant une dimension en pixels de 800×600 (soit la taille d'un écran 15 pouces) et une résolution de 72 dpi, seront idéales en termes de poids de fichier. Pour connaître les propriétés d'une image, appuyez simultanément sur les touches Alt+Entrée de votre clavier.

2 Votre sélection est faite et vos images ne dépassent pas la taille recommandée ? Parfait. Il est temps de leur donner une nouvelle dimension. Ouvrez la fenêtre **Guide Pratique** puis cliquez sur l'onglet **Création**.

3 Choisissez l'option *Galerie 3D Atmosphere*.

4 Prenez le temps de faire connaissance avec l'interface. Dans le cadre de gauche se trouvent les images que vous avez sélectionnées. Elles ont été automatiquement reconnues par le plug-in Atmosphere 3D Gallery. Pour les faire défiler, utilisez la barre d'ascenseur verticale.

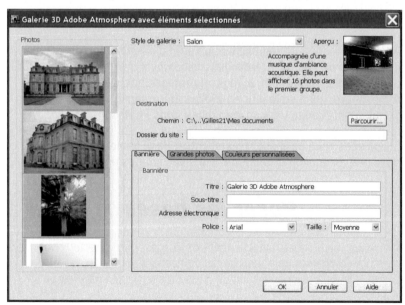

5 La liste
déroulante
*Style de
galerie*
vous offre
de choisir

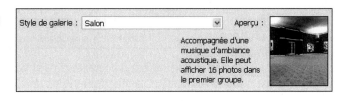

l'environnement dans lequel vos images seront exposées. C'est dans cet
environnement qu'évolueront aussi les visiteurs de votre site web.

6 Une galerie 3D sous Photoshop Album se compose d'un nombre
défini d'emplacements où seront affichées vos images. Ce nombre varie
en fonction de l'environnement. Ainsi le style *Musée* exposera douze
images par niveau. Un court résumé du style sélectionné est proposé ainsi
qu'une indication sur la musique de fond. Et oui… la visite se fera en
musique. Agréable, non ?

7 Une vignette vous montre à quoi ressemble
l'environnement sélectionné. N'hésitez pas à passer en
revue tous les styles de galeries proposés par Photoshop
Album pour faire votre choix.

8 Ne soyez pas inquiet quant au nombre de
photographies que vous souhaitez exposer. Au-delà des douze images que
le style *Musée* affiche par niveau, le logiciel crée un nouvel étage. Il en va
de même pour tous les autres styles. Pour l'heure, sélectionnez le style
Musée. Cet environnement est parfait pour exposer des images et il est
accompagné d'une boucle de musique signée Jean-Sébastien Bach. ■

Où stocker la galerie ?

1 Dans le cadre
d'un futur
téléchargement de la
galerie sur Internet, il

est impératif d'observer la plus grande précision en matière de localisation
des sauvegardes. Portez votre regard sur la rubrique *Destination*. La ligne
Chemin permet de sélectionner le dossier où sera stocké le site.

2 Cliquez sur le bouton **Parcourir**.

Le coin des passionnés

Le coin des passionnés

3 Dans la fenêtre **Rechercher un dossier**, vous allez sélectionner un

Destination

Chemin : C:\...\Gilles21\Mes documents\Mes images

dossier pour loger votre galerie. Veillez à ne pas éparpiller vos créations. Choisissez par conséquent la suite de répertoires *Mes documents/Mes images*. Cliquez sur OK pour valider. Le chemin que vous avez défini est indiqué à la ligne *Chemin*.

4 Votre galerie dispose d'un répertoire de sauvegarde. Il faut maintenant lui attribuer

Dossier du site : Mon musée

un nom. Dans la rubrique *Dossier du site*, entrez un nom suffisamment clair, par exemple Mon musée, pour vous permettre de retrouver ultérieurement votre galerie dans l'Explorateur de Windows. ■

Les paramètres *avancés*

Qui dit site web, dit liens Internet. Les trois sections qui suivent vont vous permettrent de paramétrer vos liens en termes de couleurs, vos images en termes de taille d'affichage, et de remplir des champs indispensables pour communiquer avec vos futurs visiteurs.

La bannière

····> **1** Toujours dans la fenêtre **Galerie 3D Adobe Atmosphere**, portez votre attention sur les trois onglets situés sous la rubrique *Destination*.

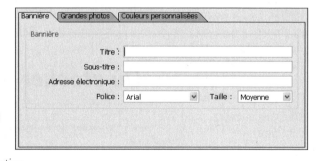

2 Cliquez sur l'onglet **Bannière**. La bannière est l'espace réservé aux textes dans votre galerie 3D. Cet espace se situera sur la droite de la galerie et permettra de donner des renseignements fort utiles à vos visiteurs.

3 Dans la case *Titre*,
entrez le nom de votre

Titre : Des images en couleurs, et en trois dimensions...

galerie. Il peut être identique au nom du dossier de sauvegarde, ou plus détaillé, plus imaginatif, plus en rapport avec vos images et le musée qui les hébergera.

4 La case *Sous-titre*
vous offre la possibilité

Sous-titre : Un portfolio de Gilles B.

de compléter le nom général de votre galerie en trois dimensions.

5 Vous pouvez,
si vous le

Adresse électronique : photographe@monsite.com

souhaitez, indiquer votre e-mail dans le champ *Adresse électronique*.
Votre adresse apparaîtra dans la bannière. Un simple clic d'un visiteur sur ce lien lui donnera la possibilité de vous envoyer un courrier électronique.

6 La liste déroulante *Police* vous permet de choisir parmi quatre styles de polices. Ce sont les plus utilisées sur Internet et elles sont parfaitement bien interprétées par les navigateurs. Vous ne risquez donc aucun problème d'affichage de vos textes sur l'ordinateur d'autrui. Choisissez par exemple la police *Arial*.

7 La liste déroulante *Taille* vous permet de définir un
corps pour vos textes. De *Petite* jusqu'à *Très grande*,
vous avez le choix entre quatre styles de corps de
texte. Choisissez par exemple le style *Moyenne*,
parfaitement lisible sans pour autant parasiter la

lecture des images, ce qui reste l'objectif numéro un de votre galerie. ∎

La taille des images

1 Cliquez sur l'onglet **Grandes photos** pour accéder aux réglages de la taille d'affichage des images et des légendes.

2 Dans la rubrique *Photos*, cochez la case *Photo*
redimensionnée.

3 Sélectionnez l'option *Moyenne* qui offre une taille d'affichage respectable sans pour autant alourdir un site.

Respect des images

Quelle que soit la taille des images initiales, Photoshop Album, lors de la création d'une galerie 3D, redimensionne celles-ci de manière à obtenir un affichage homogène et propre aux caractéristiques du style choisi. Les images d'un format de prise de vue 800×600 (c'est généralement la position moyenne d'un appareil numérique) en 72 dpi (cela représente les caractéristiques de base d'un affichage sur un écran 15 pouces) sont optimisées mais perdent moins leur impact visuel que des images de meilleure définition qui seraient très détériorées par la compression.

4 En fonction de la  qualité d'ensemble de vos images (ont-elles été retouchées sous Photoshop Elements ? S'agit-il de photos artistiques ?), il vous appartient de définir le niveau de qualité. Dans cet exemple, le réglage se situe vers la balise *Haute*. Les images garderont un poids et une qualité de lecture respectables.

5 La rubrique *Légendes*  vous permet de définir les caractéristiques des légendes qui accompagnent vos images. Les listes déroulantes *Police* et *Taille* offrent les mêmes options que les listes homonymes sous l'onglet **Bannière**. Reprenez les mêmes options pour uniformiser votre galerie. Attention toutefois, en ce qui concerne la liste *Taille* : privilégiez une taille modeste. N'oubliez pas que les internautes regarderont vos images, pas leurs légendes.

6 Les trois case à cocher de la 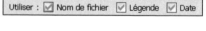 ligne *Utiliser* vous permettent de sélectionner tout ou partie des informations inhérentes à vos images. Ces informations (*Nom de fichier*, *Légende* et *Date*) s'afficheront dans la bannière de droite, et non dans la galerie, sous le titre de celle-ci et votre adresse e-mail. De fait, et puisqu'il n'y a aucun risque de voir les images polluées par du texte, vous pouvez sélectionner les trois options. ■

Choisir les couleurs

1 Cliquez sur l'onglet **Couleurs personnalisées**.
Cet onglet va vous permettre de choisir les couleurs du fond, de la bannière et du texte de votre galerie 3D.

2 En face de chacun des termes dont il est possible de modifier la couleur se trouve un rectangle déjà colorié. Prenons l'exemple du rectangle *Arrière-plan*. Cliquez dans ce rectangle.

3 Vous êtes face à la palette des couleurs que les « aficionados » de Photoshop reconnaîtront sans mal. Ces couleurs sont des couleurs web sécurisées. Cela signifie qu'elles s'afficheront sans modification dans un navigateur.

4 Pour définir une couleur d'arrière-plan pour votre galerie, vous pouvez cliquer sur un carré de couleur dans la mosaïque des 48 couleurs de base.

5 Vous pouvez également cliquer sur une teinte du spectre dans le carré représentant l'ensemble du spectre des couleurs sécurisées pour Internet.

6 Dans les deux cas, votre sélection s'affiche dans le carré *Couleur unie*.

7 Le curseur vertical sur la droite de la fenêtre **Couleurs** vous permet de

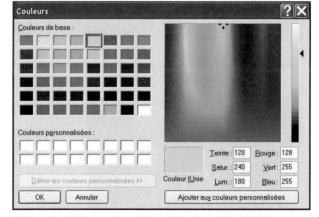

définir une valeur de luminosité pour la couleur sélectionnée. Plus vous déplacez le curseur vers le haut, plus la couleur choisie est lumineuse. Un déplacement du curseur au sommet donne un blanc pur.

8 L'inverse est évidemment valable : un déplacement du curseur tout en bas donne un noir complet. Du reste, la valeur indiquée dans le champ *Lum* est de *0*.

9 Dès lors que vous avez défini une couleur satisfaisante, cliquez sur le bouton **Ajouter aux couleurs personnalisées**. Immédiatement, la couleur vient se ranger dans la première case vierge située sous les couleurs de base. Dans cet exemple, il s'agit d'un bleu très léger qui ne heurtera pas l'œil du visiteur. Validez par OK pour revenir à la fenêtre de création de la galerie 3D.

10 Pour ce qui est des autres champs, le processus d'attribution et de modification de la couleur est identique. Vous pouvez attribuer une couleur à la bannière, au texte, ainsi qu'aux liens, aux liens actifs (lorsque que le pointeur de la souris d'un internaute passe sur le lien), et aux liens visités.

Arrière-plan :		Bannière :	
Texte :		Lien actif :	
Lien :		Lien visité :	

11 Maintenant, votre galerie est prête. Il ne vous reste plus qu'à lancer le processus automatisé de construction en cliquant sur le bouton OK. Quel que soit le nombre d'images intégrées à la galerie 3D, le temps de création n'est pas très long. Une fois la galerie achevée, laissez toutes les images s'afficher au sein du navigateur Galerie 3D Adobe Atmosphere. ■

Visiter une galerie

1 Le logiciel ayant achevé la création de votre galerie en trois dimensions, celle-ci s'ouvre directement et place le visiteur (vous ou un internaute lambda) au début du niveau 1, comme s'il entrait vraiment dans un musée.

2 Le visiteur a la possibilité de naviguer comme bon lui semble dans le musée virtuel, ou de se laisser emporter par la visite guidée. Ce dernier choix est le meilleur. Confortablement assis devant son écran, l'internaute n'a pas le moindre effort à faire pour parcourir les images du premier niveau. Pour vous donner un aperçu de ce genre de visite, cliquez sur **Démarrer la visite guidée**.

Photos: 1 - 12 ▾
Démarrer la visite guidée

3 Accompagné par quelques notes de Bach, vous regardez vos images affichées, comme jamais vous ne les avez vues auparavant.

4 Vous pouvez à tout instant interrompre la visite guidée en cliquant sur le bouton **Arrêter la visite guidée**.

Photos: 1 - 12 ▾
Arrêter la visite guidée

5 Vous pouvez aussi vous déplacer à l'aide de la souris. Pour ce faire, cliquez et maintenez le bouton gauche de la souris, puis déplacez le pointeur vers le haut pour avancer, sur les côtés pour pivoter. Les flèches de votre clavier fonctionnent aussi parfaitement pour une visite individuelle. Ce procédé est comparable à celui des jeux vidéo du type Quake. Arrêtez-vous devant une image.

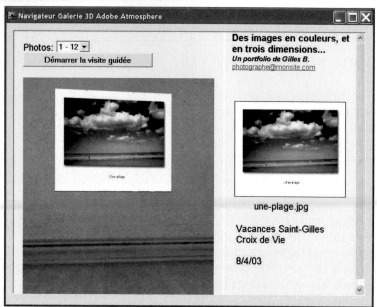

6 Cliquez sur ladite image. Dans la partie droite de la fenêtre ou de votre navigateur Internet, s'affiche l'image sur laquelle vous venez de cliquer. Sous cette image sont lisibles les éléments que vous avez sélectionnés précédemment pour qu'ils soient affichés : la légende, le nom du fichier et sa date de création. La typographie est conforme aux choix que vous avez effectués, tant en termes de couleur que de taille.

7 Un simple clic sur votre adresse e-mail lancera l'application de messagerie électronique de vos visiteurs, qui pourront vous adresser un message de félicitations.

Des images en couleurs, et en trois dimensions...
Un portfolio de Gilles B.
photographe@monsite.com

8 Une fois parcourues les images de ce niveau, vous accédez au niveau supérieur en sélectionnant la deuxième entrée de la liste déroulante *Photos*.

Photos: 1 - 12 ▾

9 Les images présentes aux murs s'effacent pour laisser la place à une nouvelle série de photographies. L'architecture du musée ne varie pas. Dès lors, vous pouvez reprendre la visite, soit par le biais de la visite guidée, soit manuellement. ■

Bouchez les trous

Si le nombre des images intégrées à la galerie n'est pas parfaitement divisible par le nombre d'images que comporte un niveau, le dernier niveau de votre musée affichera des murs vides. Veillez donc à sélectionner un nombre d'images de sorte à éviter un tel écueil. Une autre solution consiste à créer à nouveau une galerie dans un autre environnement, compatible avec le nombre d'images que vous souhaitez afficher.

Mettre le site en ligne

Photoshop Album n'est pas capable de télécharger votre site 3D en ligne. Votre galerie est, pour le moment, sauvegardée sur votre disque dur, et la seule possibilité pour que votre exposition de photos soit vue par d'autres personnes réside dans la gravure de votre création sur un CD-Rom. Vous confierez ensuite ce CD-Rom aux gens de votre choix. Reconnaissez que c'est un procédé peu satisfaisant.

Si vous observez attentivement les fichiers de cette création, vous réaliserez que la galerie 3D que vous venez de créer n'a d'autre architecture que celle d'un site web. La page d'accueil se nomme *index.html* et les liens sont des liens hypertextes classiques, comparables à ceux qu'on trouve sur un site traditionnel en deux dimensions. En d'autres termes, il est tout à fait envisageable de télécharger cette galerie sur Internet. Pour ce faire, vous allez quitter provisoirement le logiciel d'Adobe au profit d'applications que vous connaissez bien : Internet Explorer et l'Explorateur de fichiers de Windows. Remarque : pour mettre en pratique cet exercice, il faut disposer d'une connexion à Internet.

Ouvrir un compte

Avant toute chose, il est impératif de disposer d'un espace sur Internet. Même si la vogue des sites personnels est retombée, il existe encore des hébergeurs aptes à fournir des prestations de qualité. Bien sûr, votre espace gratuit sera parfois noyé sous des pop-up publicitaires. Pour notre exemple, nous avons ouvert un espace d'hébergement gratuit sur i(France). Aussi, si vous n'utilisez pas l'espace gratuit offert par votre fournisseur d'accès à Internet (tous les FAI mettent à disposition de leurs clients un espace souvent illimité), faites comme nous !

Le coin des passionnés

Le coin des passionnés

···▸ **1** Lancez l'Explorateur de fichiers de Windows. Pour ce faire, appuyez en même temps sur les touches (Win)+(E) de votre clavier. L'Explorateur s'ouvre instantanément sur le poste de travail.

2 Dans l'arborescence de votre disque affichée dans la fenêtre **Dossiers**, déplacez-vous jusqu'au répertoire où vous avez sauvegardé votre galerie en trois dimensions. En l'occurrence, il s'agit de *C:/mes documents/mes images/mon musée*. Pour vous déplacer dans votre disque dur, cliquez sur le signe **+** en face des répertoires mentionnés précédemment. À chaque clic, l'arborescence se développe. Une fois arrivé au dossier *Mon musée*, cliquez dessus.

3 Dans la fenêtre de droite de l'Explorateur de fichiers de Windows s'affichent les dossiers et fichiers sauvegardés par Photoshop Album lors de la création de votre galerie 3D.

4 Pour vous en persuader, double-cliquez sur le dossier *Images*. Apparaissent alors, sous forme de vignettes ou de fichiers texte, selon le mode d'affichage choisi par vos soins, les images que vous avez sélectionnées pour votre galerie 3D. Revenez à l'étape précédente de manière à afficher l'intégralité des fichiers.

5 Ouvrez Internet Explorer, votre navigateur web. Lancez la connexion à Internet, si ce n'est pas déjà fait.

6 La page d'accueil s'affiche. Dans la barre d'adresse, entrez l'adresse FTP (File Transfer Protocol) confiée par votre fournisseur

d'accès, ou l'hébergeur de sites personnels que vous avez choisi, lors de votre inscription. Dans cet exemple, l'adresse à saisir est celle d'i(France) : ftp.ifrance.com. Appuyez sur (Entrée).

7 la fenêtre qui s'ouvre va vous permettre d'ouvrir une session. Autrement dit, vous allez pénétrer dans l'espace libre mis à votre disposition. L'accès à cet espace est protégé par deux

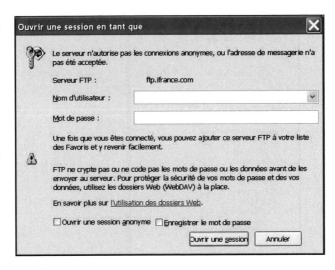

paramètres : votre nom d'utilisateur et un mot de passe. C'est vous qui avez décidé de ces deux paramètres lors de votre inscription et un e-mail de confirmation, qui les récapitule, vous a été envoyé.

8 Entrez votre nom d'utilisateur.

Nom d'utilisateur : lucyharker

9 Entrez ensuite votre mot de passe.

Mot de passe : ••••••••

10 Cliquez sur le bouton **Ouvrir une session**.

11 Réduisez la taille de l'Explorateur de fichiers ainsi que celle d'Internet Explorer. Disposez ces deux fenêtres ouvertes côte à côte sur votre écran. À gauche, l'Explorateur de Windows avec les fichiers de votre galerie 3D disponibles et calés sur la racine du site (*mon musée*). À droite, l'espace, pour le moment vide, que votre hébergeur vous a attribué.

12 Dans l'Explorateur de fichiers de Windows, cliquez sur le fichier *Index*, puis, tout en maintenant le bouton de la souris enfoncé, déplacez-le dans Internet Explorer.

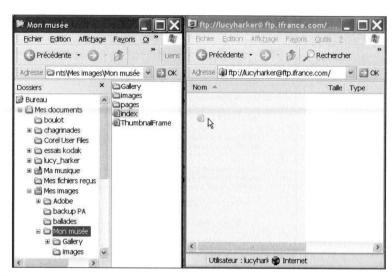

13 La fenêtre **Copie en cours** s'ouvre. Votre fichier se télécharge dans l'espace libre pour vos pages personnelles. Le serveur procède d'abord à un calcul du temps de téléchargement, puis copie le fichier. En effet, un transfert est avant tout une copie. Cela signifie que votre site reste sur votre disque dur et que seule une copie est envoyée vers l'espace libre dédié à votre site web.

14 Une fois le transfert achevé, un simple coup d'œil dans Internet Explorer vous confirme que le fichier *Index.html* est stocké sur le serveur distant qui hébergera votre galerie 3D.

15 Procédez de la même façon pour tous le fichier indépendant *ThumbnailFrame*. Ensuite, sélectionnez le premier dossier nommé *Gallery*. Attention, il ne s'agit pas de l'ouvrir, juste de le sélectionner. Quand il est sélectionné, le nom du dossier vient sur fond bleu.

16 Déplacez le dossier (et par conséquent son contenu) dans Internet Explorer. Selon le nombre d'images figurant dans votre site, et selon la rapidité de votre connexion, la durée du transfert varie. Il est par conséquent difficile de donner une estimation précise. Plus il y a d'images, plus long est le transfert.

17 Répétez cette opération (qui sera cette fois moins longue) pour les dossiers *Images* et *Pages*. Une fois le transfert de votre galerie achevé, vous devez apercevoir la même arborescence d'un côté comme de l'autre.

18 Votre site est maintenant accessible en ligne. Il ne vous reste plus qu'à entrer son adresse dans la barre prévue à cet effet. Une fois l'URL entrée, appuyez sur [Entrée]. Votre galerie 3D est maintenant visible par

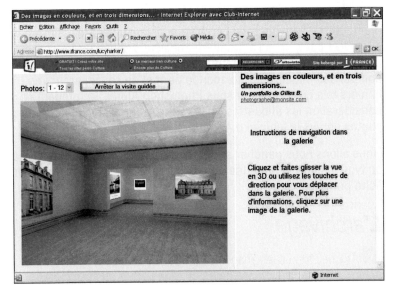

tous. Après avoir chargé toutes les images (cela est un peu plus long que sur votre disque dur), parcourez votre exposition de photos pour vérifier que rien ne manque. ■

Problèmes de navigateur

Pour que la galerie soit visible dans Internet Explorer, il faut que le navigateur de Microsoft soit équipé d'un plug-in totalement transparent permettant l'affichage d'informations en trois dimensions. Si votre version d'Internet Explorer en est dépourvue, un pop-up vous demande si vous souhaitez pallier ce manque en faisant l'installation ad hoc. Si vos préférences en matière de navigation Internet vont à Netscape, Mozilla, Opera, etc. il se peut que vous rencontriez des difficultés, le plug-in n'étant pas forcément compatible avec ces applications.

Sauvegarder des fichiers

Sauvegarder les images, comme tout autre type de fichier, est une bonne habitude à prendre. Si, récemment, graver un CD pouvait être une tâche ardue et le matériel nécessaire plutôt onéreux, aujourd'hui il n'en est rien. Les graveurs de CD-Rom sont installés en série sur les configurations informatiques et les médias vierges sont devenus bon marché. Si vous disposez d'un graveur, obligez-vous à faire des sauvegardes tant peuvent être nombreuses les causes d'un effacement de fichiers. Adobe Photoshop Album propose deux méthodes de sauvegarde : l'archivage et la sauvegarde, autrement appelée « back-up ». La première consiste à sauvegarder sur un CD-R ou un DVD-R vos images dans leur format d'origine, et sans tenir compte des étiquettes ; la seconde permet de sauvegarder vos fichiers tels qu'ils existent sous Photoshop Album, en prenant en considération les étiquettes et autres caractéristiques intégrées aux photos depuis le logiciel d'Adobe.

Nous allons nous pencher sur la fonction d'archivage. La sauvegarde du type backup sera traitée à la fin de cet ouvrage, sous forme de fiche pratique.

L'archivage

1 Affichez toutes les images présentes dans le catalogue Photoshop Album. Pour ce faire, veillez à ne pas sélectionner une catégorie

Le coin des passionnés

générique d'étiquettes. Veillez également à ne pas sélectionner une étiquette comprise dans une catégorie générique.

2 La meilleure méthode pour vous assurer que vous n'avez sélectionné aucune étiquette est encore d'activer le menu **Étiquette/Développer tout**. Cette action a pour but de faire apparaître dans la fenêtre **Étiquettes** l'ensemble des étiquettes comprises dans les catégories génériques.

3 Appliquez-vous à décocher toutes les cases en face de chaque étiquette ou de chaque catégorie.

4 L'intégralité de vos images est maintenant

> 76 éléments en date du janv. 2002 - déc. 2003

présente dans l'interface principale de Photoshop Album. Le nombre de photos présentes est indiqué en bas et à droite de cette interface.

5 Activez le menu **Fichier/Archive**.

6 Un message d'avertissement vous propose de confirmer votre intention d'archiver toutes les images présentes dans l'interface. Cliquez sur OK pour poursuivre l'opération.

Archiver une sélection d'images

S'il est possible de sauvegarder l'ensemble des images, il est bien entendu possible de n'en archiver qu'une partie, correspondant à une étiquette ou à une sélection d'étiquettes. Faites alors une sélection des images à archiver, via leurs étiquettes, et lancez le menu **Fichier/Archive**.

---

7 S'ouvre alors la fenêtre **Archive**.

8 Attribuez un nom à votre archive dans le champ *Nom d'archive*.

> Nom d'archive : Images Jean-Pierre

9 La ligne *Emplacement* vous informe du poids total des images. Veillez bien sûr à ne

> Emplacement (Taille = 8.2 MB)

pas dépasser les capacités de stockage de votre média vierge.

Le coin des passionnés

Le coin des passionnés

10 Dans la rubrique *Lecteur de CD ou de DVD*, sélectionnez le périphérique de gravure dont vous disposez.

11 La case *Déplacer les éléments hors ligne*

et les supprimer du disque dur, si vous la cochez, effacera de votre disque dur les fichiers que vous allez graver sur un CD. En lieu et place de ceux-ci subsistera une image des fichiers tels qu'ils existaient sur votre ordinateur. Si votre objectif réside dans une simple sauvegarde de sécurité et dans la poursuite de vos travaux sur les images, ne cochez pas cette case. Validez ensuite par OK.

12 En fonction du poids total de vos fichiers, Photoshop Album calcule le nombre de CD dont vous aurez besoin. Pour cet exemple, un seul CD sera nécessaire. Instantanément, le tiroir du graveur s'ouvre. Il ne reste plus qu'à insérer un média vierge et… vogue la gravure ! ■

Créer un CD vidéo

Aujourd'hui, la plupart des lecteurs de DVD de salon permettent la lecture de CD vidéo. Un VCD est un CD-Rom traditionnel formaté pour pouvoir être lu par les décodeurs installés au sein des lecteurs de DVD. Sur ce CD peuvent figurer aussi bien des images qu'une musique les accompagnant. Alors, pourquoi ne pas proposer vos images sur grand écran ? Cela changera des soirées diapos !

Poser les bases

1 Faites une sélection des images à intégrer au VCD en utilisant les étiquettes.

2 La barre horizontale bleu ciel indique toutes les étiquettes sélectionnées ainsi que le nombre d'images correspondant à cette sélection.

3 Activez le menu **Créations/CD vidéo**.

4 Vos images s'intègrent dans l'espace de travail. Elles sont toutes numérotées. L'organisation des images selon leur date de création est décidée par Photoshop Album. Vous pouvez les

réorganiser en les déplaçant directement à l'intérieur de l'espace de travail. Cliquez sur une image, maintenez le bouton gauche de la souris enfoncé, puis déplacez-la. Lors de son déplacement, l'image est symbolisée par un trait jaune.

5 Cliquez sur le bouton **Lancer l'Assistant de création**.

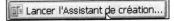

6 L'assistant de création de votre futur VCD se lance. La première étape consiste à choisir un style de présentation. Choisissez celui qui vous convient, par exemple *Noir uni*, le plus sobre et s'adaptant à tout style d'image. Cliquez sur **Suivant**.

7 Donnez un titre à votre VCD en rédigeant quelques mots dans le champ *Titre* de la rubrique *Inclure la page de titre*.
Cochez également la case en regard de ce champ.

> Inclure la page de titre
>
> ☑ **Titre** : Trois années d'images

Le coin des passionnés

8 Vous pouvez intégrer de la musique à votre présentation. Pour cela, déroulez la liste *Fond musical*. Les boucles musicales installées par Photoshop Album, les mêmes que celles de la galerie 3D, sont disponibles.

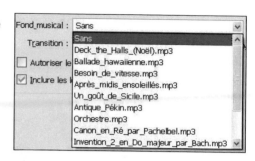

9 Vous pouvez également

intégrer la musique de votre choix. Pour ce faire, cliquez sur le bouton **Parcourir** et recherchez le fichier qui vous convient. Attention, un fichier au format WAV prend dix fois plus de place sur le VCD qu'un fichier au format MP3.

10 Sélectionnez le mode de transition des images parmi les cinq proposés. Le mode *Fondu* s'adapte à tous les styles de photographies et est très doux.

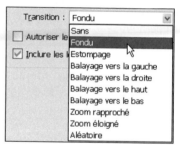

11 Définissez ensuite en secondes le temps d'affichage de vos images. Vous avez le choix entre 2, 4 ou 10 secondes. Pour en profiter au maximum, choisissez *10*.

12 Cochez la case *Autoriser le redimensionnement de la vidéo*.

Cette option permettra à vos grandes images de s'adapter au format de votre écran. Sans cette option, les images de grande taille seront tronquées.

13 Si des légendes figurent sous certaines de vos images, cochez la case *Inclure les légendes* afin de les faire apparaître à l'écran. Cliquez sur le bouton **Suivant**. ■

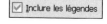

Le coin des passionnés

Vérifier via l'aperçu

···❭ **1** L'aperçu simule ce que verront vos amis lorsque vous leur montrerez votre VCD. Les flèches sous l'écran permettent de faire défiler les images.

2 Donnez-vous un meilleur aperçu via le bouton **Aperçu plein écran**.

3 Si l'ordre de vos images ne vous convient pas, cliquez sur le bouton **Réorganiser les photos** et opérez comme vous l'avez fait précédemment. Une fois vos images dans le bon ordre, cliquez sur **Suivant**. ■

Graver le VCD

···❭ **1** Laissez cochée la case *Utiliser le titre pour nom* pour conserver le titre saisi précédemment.

Le coin des passionnés

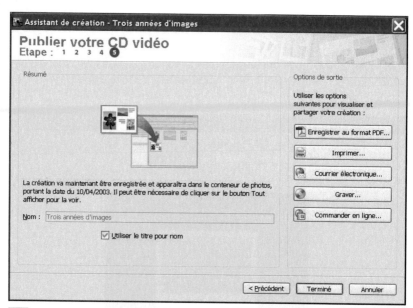

2 Dans la rubrique *Options de sortie*, sélectionnez le bouton **Graver** puisque l'objectif est de graver un CD vidéo.

3 En cas de problèmes, Photoshop Album affiche une fenêtre comme celle-ci :

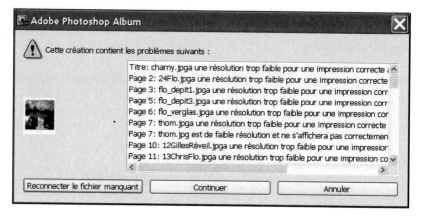

Le coin des passionnés

Résolution et impression

Le message le plus récurrent informe que la résolution de telle ou telle image est trop faible pour une impression correcte de la photo. Adobe Photoshop Album procède de la même manière pour toutes les créations qu'il propose. Seul l'aboutissement varie. Ainsi, à ce stade de la création du VCD, Photoshop Album peut encore croire qu'il s'agit d'une impression (même si vous lui avez ordonné de graver vos images). Vos images étant globalement à une résolution de 72 dpi, ce chiffre est bien trop faible pour une impression papier. Mais puisqu'il s'agit présentement de graver un VCD qui sera lisible sur une télévision, cette résolution convient. Ignorez donc les messages du type « Page 2 : nomdefichier.jpeg a une résolution trop faible pour une impression correcte ».

4 Outre les très nombreux messages en rapport avec la résolution des images, Photoshop Album peut aussi afficher le message suivant.

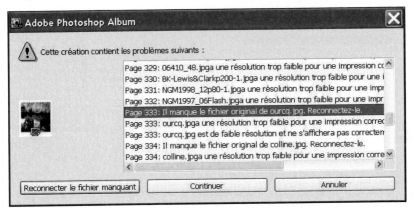

Reconnecter les images

Le message « il manque le fichier original, reconnectez-le » a pour cause un possible déplacement des images au sein de votre disque dur. Or, comme Photoshop Album copie des proxy des images dans ses propres fichiers pour pouvoir les afficher sans difficulté, vous n'avez eu jusqu'alors aucun problème. Cela dit, vous n'allez pas graver des proxy, mais bien les images réelles… qui ne sont plus à la même place. C'est pourquoi Photoshop Album vous propose de reconnecter les images. Plus simplement, il s'agit de lui signaler où les « vrais » fichiers se situent sur votre disque dur.

Le coin des passionnés

5 Cliquez sur le bouton **Reconnecter le fichier manquant**.

6 La rubrique *Fichiers manquants* indique le nom des images qui n'ont pas été trouvées par Photoshop Album. La rubrique *Rechercher les fichiers manquants* vous permet de partir à la recherche du nouvel emplacement de vos images. Un aperçu de la photo vous rafraîchit la mémoire.

7 Observez la première image dans le cadre de gauche, et, dans le cadre de droite, recherchez-la dans votre disque dur en double cliquant sur les dossiers pour les ouvrir. Une fois l'image sélectionnée, les deux aperçus doivent être identiques.

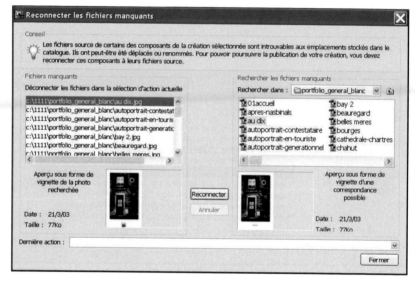

8 Cliquez sur le bouton **Reconnecter**. Photoshop travaille en tâche de fond. Laissez-lui un peu de temps… puis passez à la deuxième image, jusqu'à ne plus avoir de fichiers manquants dans le cadre de gauche. Finissez en cliquant sur le bouton **Fermer**.

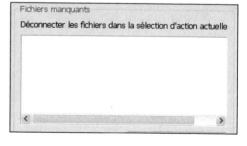

Le coin des passionnés

9 Cliquez maintenant sur **Continuer**.

10 En fonction du nombre d'images et du poids de la musique que vous avez ajoutée, Photoshop Album prend plus ou moins son temps pour finaliser la création. Laissez-le travailler. Ensuite, la fenêtre **Sélectionner les paramètres du CD** s'affiche. Photoshop Album a sélectionné votre périphérique de gravure.

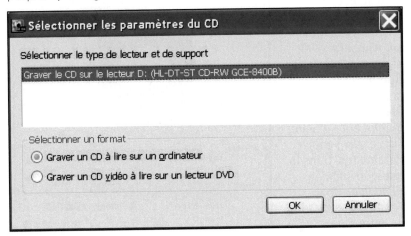

11 Sélectionnez le format, par exemple *Graver un CD vidéo à lire sur un lecteur DVD*.

12 Cliquez sur OK. Le tiroir de votre graveur s'ouvre et un message vous invite à insérer un média vierge dans ledit tiroir. Faites-le. Cliquez sur le bouton OK et la gravure de votre VCD commence. Une fois celle-ci terminée, vous pourrez regarder votre CD vidéo sur le lecteur de DVD de votre salon. ■

Le coin des passionnés

Créer
un fond d'écran

Il convient tout d'abord de définir un équilibre entre l'optimisation du poids de l'image et sa qualité. Plus une image est lourde, plus long est le temps que prend l'ordinateur à afficher le fond d'écran.

Pour connaître la résolution de votre écran en pixels, faites un clic droit sur n'importe quel endroit vide de votre Bureau, et choisissez **Propriétés**. Dans la fenêtre qui s'affiche, cliquez sur l'onglet **Paramètres**. Dans la rubrique intitulée *Résolution de l'écran* figure la taille de votre écran exprimée en pixels. Dans notre exemple, la résolution est de 1 024×768 pixels.

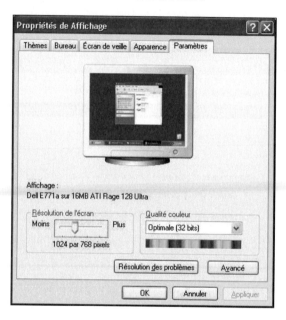

Voyons, pour commencer, la méthode la plus simple pour créer un fond d'écran :

1 Dans votre catalogue, cliquez sur la photo que vous désirez afficher en arrière-plan : celle-ci s'entoure d'un cadre jaune.

2 Faites ensuite un clic droit dessus.

3 Dans le menu déroulant qui s'affiche, choisissez **Définir comme papier peint du bureau**. Retournez sur votre Bureau, votre photo est affichée en fond d'écran. ■

La seconde méthode est plus pointue :

1 Cliquez sur la photo désirée, puis utilisez la combinaison de touches [Alt]+[Entrée] pour faire apparaître les propriétés de l'image (dans cet exemple, *89,4 Ko* et *595x501 pixels*). Vous allez d'abord alléger cette photo pour qu'elle soit plus rapide à afficher. Activez le menu **Fichier/Exporter**.

2 Dans la fenêtre qui s'affiche, cochez *JPEG* dans la rubrique *Type de fichier*. Cela vous permettra de compresser votre image. Dans la rubrique *Taille et qualité*, choisissez la taille correspondant à votre résolution d'écran (ici *1 024x768*) dans la liste déroulante *Taille de photo*, puis baissez la *Qualité* à 4. Dans la rubrique *Emplacement*, cliquez sur **Parcourir** et enregistrez votre nouvelle image dans un répertoire où vous la retrouverez facilement. Cette dernière pèse maintenant moins de 17 Ko dans l'exemple. Elle s'affichera donc nettement plus vite qu'une photo de près de 90 Ko. Cliquez sur **Exportation**.

3 Retournez sur votre Bureau, faites un clic droit puis choisissez **Propriétés**. Sous l'onglet **Bureau**, cliquez sur **Parcourir** et sélectionnez votre photo dans l'arborescence de votre disque dur. Cliquez sur **Appliquer**, puis sur OK si l'image vous convient. ∎

Les formats
de fichier
de Photoshop Album

Lors de votre utilisation de Photoshop Album, vous avez certainement rencontré différents formats de fichier. Faisons un tour d'horizon des cinq formats reconnus par le logiciel d'Adobe et voyons leurs spécificités :

Type de fichier
- ○ Utiliser le format original
- ⊙ JPEG
- ○ PNG
- ○ TIFF
- ○ PSD

Taille et qualité

Taille de photo : Originale

Qualité : 12 (Maximum)

■ Le format JPG ou JPEG (Joint Photographic Experts Group) est très populaire. Sa caractéristique principale réside dans le fait qu'il compresse vos images. Cette compression est accompagnée d'une perte de qualité plus ou moins grande, définie souvent par vos soins. JPEG est un format idéal pour les images à tons continus, comme les photos. Du reste, les appareils numériques du commerce proposent tous, par défaut, une prise de vue au format JPG.

■ Le format TIFF (Tag Image File Format) est le parfait mariage entre qualité et universalité. Reconnu par la quasi-totalité des logiciels à vocation graphique, il repose sur une méthode de compression sans perte de qualité. Revers de la médaille : les fichiers sont volumineux. Pour archiver vos images sur un CD-Rom et les afficher sur différentes plates-formes informatiques, c'est le format idéal.

■ Le format PSD est le format natif de Photoshop. Pris en charge par tous les logiciels de la chaîne multimédia d'Adobe, il commence à être reconnu par d'autres éditeurs, qui ont pris la mesure de sa popularité. Son principal intérêt réside dans le fait qu'il préserve en l'état les interventions opérées sur les images avec Photoshop Elements 2.0 (ou Photoshop 7 pour le monde professionnel). Aucune perte de qualité, cela va sans dire !

■ Le format PDF (Portable Document Format) facilite l'acheminement via Internet. C'est un pur produit Adobe. Dans Photoshop Album, vous produirez des créations au format PDF, comme des diaporamas, par exemple. La qualité des images est préservée malgré la compression globale des fichiers. Notez que la personne qui lira votre diaporama doit être équipée d'Acrobat Reader, le plug-in nécessaire, gratuit et très léger, qui permet de lire des PDF.

■ Le format PNG (Portable Network Graphic) est voué à suppléer le format GIF. Il ne « voit » malheureusement que 256 couleurs et n'est pas recommandé pour des images venant d'appareils photo numériques. Par contre, pour la réalisation de boutons de navigation pour Internet, son absence de dégradation et son poids très léger sont des atouts considérables.

Exporter
des images

Photoshop Album permet d'exporter des images individuellement ou par lots. L'exportation est brute et permet une consultation dépouillée des images. Prenons un exemple : vous souhaitez envoyer à un proche une sélection d'images, pour qu'il en ait un aperçu et puisse faire son choix. Cet envoi est urgent. Le nom des fichiers doit être le plus lisible possible pour que la personne fasse son choix.

1 Sélectionnez vos images dans l'interface de Photoshop Album, puis activez le menu **Fichier/Exporter**. S'ouvre la fenêtre **Exportation des éléments sélectionnés**. La fenêtre **Éléments à Exporter** affiche les images sélectionnées par vos soins.

2 Dans la rubrique *Type de fichier*, sélectionnez le format *JPEG*, lisible par tout le monde et qui compresse les fichiers.

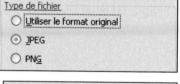

3 Dans la rubrique *Taille et qualité*, déroulez la liste *Taille de photo* et choisissez l'option *320×240*. Il s'agit de la plus petite taille par défaut. Si vous souhaitez définir une taille personnalisée, choisissez l'option

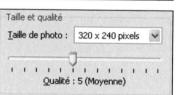

Personnalisée, en bas de la liste déroulante. Réglez le curseur sur *Qualité : 5*, afin d'obtenir une compression efficace qui ne gâtera pas la lisibilité des images.

4 Définissez un dossier de sauvegarde dans la rubrique *Emplacement*. Pour définir (et créer) un dossier de sauvegarde, opérez comme vous le faites sous Windows. Dans la rubrique *Noms de fichier*, vous pouvez conserver les noms de fichier d'origine ou donner une appellation commune aux fichiers sélectionnés, via le bouton **Nom de**

base commun. Le destinataire souhaitant une parfaite lisibilité des noms de fichier, choisissez cette option en entrant un terme générique dans le champ approprié.

5 Cliquez sur **Exportation**. Laissez travailler Photoshop Album, puis ouvrez votre Explorateur Windows à la recherche de vos images. Très lisibles et d'un format dérisoire (moins de 30 Ko), ces images sont prêtes à être envoyées par e-mail. Notez que leur nom est des plus simples. ■

Planche contact-1	12 Ko	Fichier JPG
Planche contact-2	13 Ko	Fichier JPG
Planche contact-3	11 Ko	Fichier JPG
Planche contact-4	17 Ko	Fichier JPG
Planche contact-5	16 Ko	Fichier JPG

Afficher les propriétés
d'une image

Chaque image s'accompagne de nombreux renseignements forts utiles :

1 Sélectionnez une image, puis, avec le bouton droit de la souris, ouvrez le menu contextuel. Sélectionnez **Propriétés**. La fenêtre s'affiche sur le côté droit de votre écran. Elle présente les principales informations concernant la photo que vous avez sélectionnée.

2 Le champ *Légende* indique si vous avez ajouté ou non une légende à la photo. Si tel n'est pas le cas, vous pouvez en ajouter une maintenant (60 caractères au maximum). Dans le premier champ *Nom de fichier* se trouvent le nom de l'image et son extension. Le deuxième champ vous indique la localisation du fichier dans votre disque dur. Sous les champs *Nom fichier* se trouvent les indications de base de l'image : son poids, exprimé en kilo-octets, et sa taille, exprimée en pixels.

3 En dessous se trouvent la date et l'heure de premier enregistrement de votre photo. Cliquez sur le bouton représentant un calendrier à gauche de la date. Une fenêtre intitulée **Régler la date et l'heure** s'affiche. Vous pouvez changer la date et l'heure (indiquez par exemple la date et l'heure de la prise de vue, ou la date et l'heure de la création du fichier) ou encore changer votre localisation géographique et le fuseau horaire.

4 La rubrique *Remarques* permet d'ajouter un commentaire à l'image. Il peut s'agir de précisions techniques concernant la prise de vue ou d'autres renseignements ne pouvant apparaître sur l'image : le contexte de prise de vue, par exemple. Dans la liste déroulante située en dessous de la rubrique *Remarques*, vous accédez aux *Métadonnées complètes*, à l'historique de l'image (date de modification ou d'enregistrement, date d'importation vers Photoshop Album et source d'importation), ainsi qu'aux étiquettes associées s'il y en a. ■

Remarques :

> Photo prise avec un appareil... jetable, en milieu d'après midi, en janvier 1997. L'image a été considérablement retouchée sous Photoshop Elements.

Historique

Modifié le	27/3/03 10:58
Importé le	8/4/03
Importé depuis	le disque dur

Les métadonnées

Un appareil numérique fonctionne comme un appareil argentique en ce sens que leur processus mécanique de base est « identique ». Pour preuve : les renseignements fournis par le fichier EXIF (EXchangeable Image Format) accompagnant une photo numérique brute. Les métadonnées EXIF représentent un ensemble de données techniques fournies automatiquement par un appareil photo numérique ayant pris une image au format JPEG ou TIFF. Ces données sont internes au fichier numérique et ne sont pas visibles à l'écran. De nombreux logiciels, à commencer par Photoshop Album, peuvent lire les métadonnées EXIF d'une image. Ces informations techniques concernent les caractéristiques de prises de vue. Voyons cela en détail :

1 Sélectionnez dans votre catalogue une image qui n'a jamais été travaillée puis enregistrée sous un logiciel, en d'autres termes une image brute, fraîchement importée de votre appareil numérique. Activez la combinaison de touches [Alt]+[Entrée] de votre clavier afin d'afficher les propriétés de l'image.

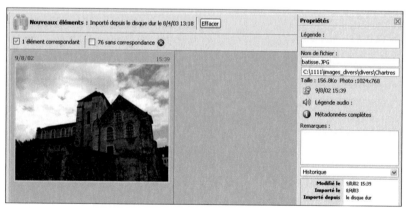

2 Dans la fenêtre **Propriétés**, cliquez sur l'icône *Métadonnées complètes*.

3 Les données TIFF fournissent des renseignements généraux. L'image sélectionnée ici a été prise avec un appareil de marque Olympus ; sa résolution est de 72 points par pouce ; l'orientation de la prise de vue est normale, à savoir en mode Paysage.

4 Utilisez la barre d'ascenseur verticale en la faisant glisser vers le bas de manière à afficher les métadonnées EXIF, de loin les plus intéressantes. Observez les deux premières lignes : il s'agit du rapport d'exposition de l'image. Vitesse d'exposition : 1/500 s pour une ouverture de diaphragme à f/5.6. La même image, prise avec un appareil argentique en mode manuel, selon la même exposition, n'aurait pas été bien différente.

5 D'autres informations intéressantes sont également disponibles : la vitesse ISO (ici 100, ce qui correspond à un film argentique lent), la distance focale utilisée (6.6 mm), l'absence de flash lors de la prise de vue, les dimensions en pixels (1 024×768, un format de type écran 17 pouces), la date et l'heure exacte de la prise de vue, à la seconde près ! ■

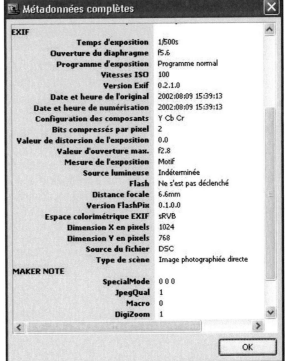

Définir
un logiciel d'édition

Il est possible de basculer dans Adobe Photoshop Elements 2.0 vers un traitement plus approfondi des photographies.

Vous disposez d'un autre logiciel de retouche d'images ? Soyez sans crainte, Adobe permet à l'utilisateur d'éditer des images dans des logiciels conçus par d'autres éditeurs. Démonstration :

1 Lorsque vous activez le bouton **Retoucher** de la barre de menus de Photoshop Album, la fenêtre **Retoucher la photo** s'ouvre. Au bas de cette fenêtre figure le bouton permettant une édition dans Photoshop Elements 2.0, le logiciel de retouche d'images grand public d'Adobe, ou dans Photoshop 7.

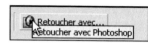

2 Fermez cette fenêtre et activez le menu **Edition/Préférences**. Sélectionner l'option *Retouche* dans la colonne de gauche.

3 Si vous êtes l'heureux possesseur de Photoshop, dans sa version 6 ou supérieure, sélectionnez l'option idoine dans la rubrique *Application pour retouches externes*.

4 Si vous souhaitez lancer votre logiciel graphique par défaut, sélectionnez l'option *Application par défaut pour le type de fichier*. Mais si vous préférez une application particulière, sélectionnez *Choisir l'application*. Le bouton **Parcourir** est alors accessible. Cliquez sur ce bouton pour partir à la recherche du fichier *.exe* qui lance votre application habituelle (par exemple, Paint Shop Pro 7).

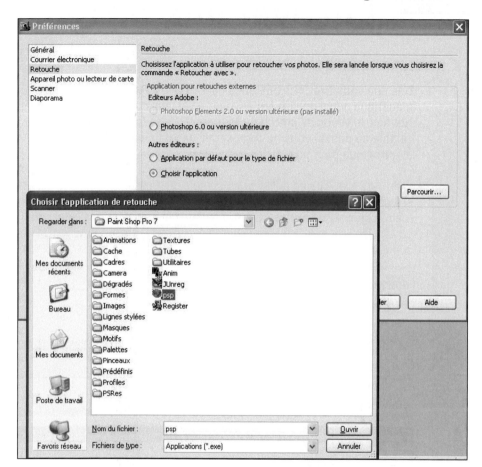

5 Si, pour l'installation de votre logiciel, vous avez suivi la procédure par défaut définie par l'éditeur (Jasc Software en ce qui concerne Paint Shop Pro 7), naviguez dans la fenêtre de

recherche jusqu'au dossier *Program Files*, puis *Jasc Software/Paint Shop Pro 7/psp*. Cliquez sur **Ouvrir**. De retour dans la fenêtre **Préférences** de Photoshop Album, cliquez sur OK pour valider votre modification. Désormais, au bas de la fenêtre **Retoucher la photo**, l'icône de Photoshop remplace celle de Paint Shop Pro. Un clic sur ce bouton lance votre application de retouche d'images. ■

Envoyer une image
via Hotmail

Dès que vous avez pris quelques clichés avec votre appareil photo numérique, vous pouvez les envoyer à vos amis et à votre famille via Hotmail, le Webmail gratuit de Microsoft. Cette fonction est surtout valable au cas où vous ne disposeriez pas d'une messagerie électronique pour poster des e-mails via votre connexion Internet.

1 Il faut tout d'abord définir votre compte de messagerie afin que celui-ci soit utilisé automatiquement par Photoshop Album. Pour ce faire, activez le menu **Edition/Préférences**. Dans la fenêtre qui s'affiche, dans la rubrique gauche, sélectionnez *Courrier électronique*. Dans le champ *Envoyer un courrier électronique avec*, choisissez *Hotmail*. Validez par OK.

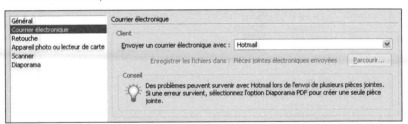

2 Sélectionnez l'image que vous souhaitez envoyer via Hotmail.

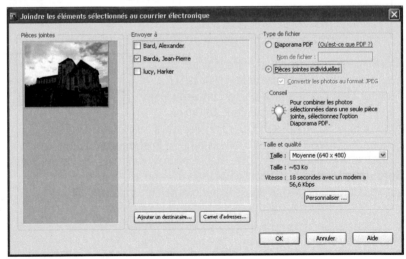

Attention : ne dépassez 1 Mo de poids de fichier, Hotmail ne tolérant pas les fichiers plus lourds. Ouvrez la fenêtre **Guide pratique**, puis activez l'option *Partage* et enfin *Courrier électronique*. Vous arrivez à la fenêtre **Joindre les éléments sélectionnés au courrier électronique**. La rubrique *Envoyer à* permet de choisir dans le Carnet d'adresses de Photoshop Album le destinataire des clichés. Cliquez simplement dans la case correspondante. Dans la rubrique *Type de fichier*, cochez la case *Pièces jointes individuelles* afin de conserver le format d'enregistrement de base de votre photo.

3 Cliquez sur **Personnaliser**. Vous vous retrouvez dans la fenêtre **Préférences** de Photoshop Album. Dans la

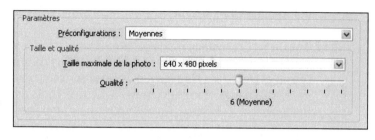

rubrique *Paramètres*, choisissez la taille qui vous convient. Les changements dans ce champ influent sur le contenu du champ suivant *Taille maximale de la photo*. Ce dernier peut toutefois être modifié indépendamment. Le choix *Laisser tel quel* conserve les paramètres de base de l'image. La règle graduée nommée *Qualité* permet de régler avec précision la qualité de rendu de l'image. Cliquez sur OK pour fermer la fenêtre **Préférences**, puis de nouveau sur OK pour valider votre envoi.

4 S'ouvrent alors Internet Explorer et votre module de connexion si vous n'êtes pas déjà connecté. Après une identification auprès du service Hotmail, la photo que vous avez sélectionnée se trouve dans la rubrique *Pièces jointes* de l'interface de messagerie. Vous n'avez plus qu'à ajouter un petit message et à envoyer. ■

Définir un dossier
de sauvegarde

Par défaut, Photoshop Album enregistre vos images et vos créations dans un dossier prédéfini. Il est possible de changer ce dossier d'accueil afin de créer votre propre dossier de photos, qui seront peut-être plus simples à retrouver parce que l'organisation sera conforme à votre logique.

1 Dans l'Explorateur Windows, allez dans le dossier *C:\Windows\Bureau*, cliquez avec le bouton droit dans la partie droite de l'écran et choisissez **Nouveau**, puis **Dossier**. Nommez ce dossier *Photos*. Refaites la manipulation et nommez le nouveau dossier *Catalogues*. Retournez sur le Bureau : les deux dossiers sont présents.

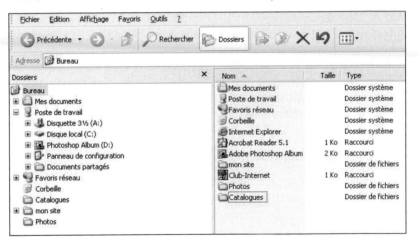

2 Pour que Photoshop Album enregistre vos photos et vos catalogues dans les dossiers fraîchement créés, activez le menu **Edition/Préférences** dans l'interface générale du logiciel. Dans la rubrique gauche de la fenêtre qui s'affiche, cliquez sur *Général*. Il est entouré de bleu.

3 Au bas de la rubrique *Options de fichier* à droite de cette fenêtre, se trouvent *Enregistrer les catalogues dans* et *Dossiers des fichiers enregistrés*, accompagnés tous deux du bouton **Parcourir**. C'est l'emplacement de stockage par défaut qui est actif pour le moment.

Cliquez sur **Parcourir** puis naviguez dans l'arborescence de votre ordinateur pour atteindre le dossier *Catalogues* (*C:\Windows\Bureau\ Catalogues*). Cliquez

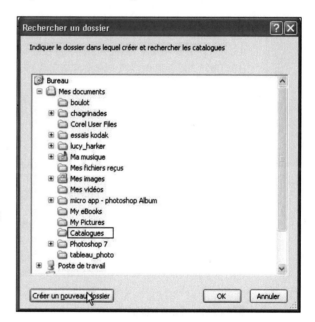

sur le dossier *Catalogues* : il est entouré de bleu. Cliquez sur OK. Refaites la même opération avec le dossier *Photos*. Dorénavant, vos photos et catalogues seront enregistrés à l'endroit désiré. ■

Vous pouvez revenir à la configuration initiale en cliquant sur **Restaurer les paramètres par défaut** dans les préférences du logiciel.

Si vous travaillez sous Windows XP, vous n'avez pas besoin de passer par l'Explorateur Windows. Cliquez sur **Parcourir**. Dans la fenêtre qui s'affiche, cliquez sur le dossier dans lequel vous désirez créer un sous-dossier, par exemple *c:\mes documents*, puis sur le bouton **Créer nouveau dossier**. Nommez votre dossier, puis cliquez sur OK.

Enregistrer
une légende audio

Photoshop Album vous permet d'enregistrer
vos propres légendes audio. Soit elles
proviennent d'un fichier déjà enregistré sur

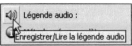

votre ordinateur (une chanson au format MP3 par exemple), soit vous
les enregistrez vous-même avec votre propre voix. Sélectionnez une
image puis activez le raccourci [Alt]+[Entrée] pour afficher les propriétés
de l'image. Cliquez sur le bouton **Légende audio**.

Importer un fichier audio déjà enregistré

1 Dans la fenêtre **Sélectionner un fichier audio** qui s'affiche, cliquez
sur **Fichier**, puis sur **Parcourir**. Dans l'arborescence de votre ordinateur,
recherchez le fichier audio que vous souhaitez associer à votre image.
Attention : le fichier doit être au format WAV ou MP3.

2 Cliquez sur le fichier de votre choix, puis sur **Ouvrir**. La fenêtre
Sélectionner un fichier audio a changé de nom et a pris celui du fichier
que vous avez sélectionné.

3 Dans la barre de navigation audio située sous la rubrique contenant
l'icône d'un haut-parleur, cliquez sur le bouton de lecture pour écouter
votre morceau. Cliquez sur **Fichier** puis sur **Fermer**.

4 La fenêtre **Enregistrer les modifications** s'affiche et vous demande
si vous voulez associer le morceau choisi avec la photo. Cliquez sur **Oui**.
Dans les propriétés de l'image, à droite de *Légende audio*, se trouve le
nom du fichier que vous avez associé à ladite image. ■

Enregistrer avec un micro

1 Branchez votre micro et vérifiez
qu'il fonctionne. Pour cela, ouvrez le
magnétophone de Windows (menu
**Démarrer/Accessoires/
Divertissement**). Cliquez sur le bouton
rouge d'enregistrement : vous devez

Fiche pratique 9

voir l'oscilloscope du magnétophone vibrer au son de votre voix. Il est inutile de sauvegarder. Fermez le magnétophone.

2 Retournez dans Photoshop Album et refaites la manipulation décrite précédemment pour arriver dans la fenêtre **Sélectionner un fichier audio**. Cliquez sur le bouton rouge situé sous la barre de lecture et parlez. Une fois votre légende énoncée, cliquez de nouveau sur ce même bouton. Écoutez votre enregistrement avant de valider (répétez la procédure pour effacer et réenregistrer), puis cliquez sur **Fichier/Fermer**.

3 Dans la fenêtre **Enregistrer les modifications**, cliquez sur **Yes**. Votre légende audio est maintenant associée à votre image. ■

Pour supprimer une légende audio, activez les propriétés de l'image à laquelle elle est associée, puis cliquez sur **Légende audio**. Dans la fenêtre qui s'ouvre, activez le menu **Edition/Effacer**. Confirmez la suppression de la légende en cliquant sur **Oui**.

Visualiser et naviguer
en mode Plein écran

Photoshop Album est capable d'afficher des photos sous forme de vignettes de différents formats. Mais si vous voulez présenter vos clichés en mode Plein écran et passer d'une photo à une autre sans perdre de temps, une simple combinaison de touches vous le permet.

1 Dans le catalogue qui s'affiche, choisissez la première photo que vous souhaitez visualiser en Plein écran. Celle-ci s'entoure d'un cadre jaune.

2 Appuyez sur la touche F11 de votre clavier. Vous êtes en mode Plein écran. Les légendes écrites ou audio ne figurent pas à l'écran.

3 Appuyez sur les flèches droite ou gauche de votre clavier pour naviguer en avant ou en arrière parmi vos photos de votre catalogue.

4 Pour sortir du mode Plein écran, cliquez simplement sur le bouton droit ou gauche de votre souris, ou sur Echap. Vous revenez alors à votre catalogue. ■

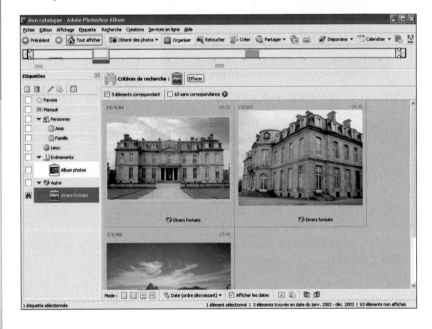

Fiche pratique 10

Faire un diaporama instantané

Afin de conserver vos légendes et les fichiers audio associés, vous pouvez constituer en deux clics un diaporama géré par Photoshop Album.

1 Sélectionnez les photos que vous désirez voir dans votre diaporama, en maintenant la touche [Ctrl] enfoncée pour opérer une sélection multiple. Les photos sélectionnées s'entourent d'un cadre jaune.

2 Cliquez sur le bouton **Diaporama** situé entre la barre de menus générale du logiciel et la frise chronologique. Une petite fenêtre intitulée **Construction du diaporama** apparaît.

3 Vos photos sont modifiées pour s'adapter à

Dun Laoghaire, Ireland. Janvier 1997

un affichage Plein écran, c'est-à-dire que si votre écran dispose d'une résolution de 1 024×768 et que votre photo est en 800×600, Photoshop Album agrandira celle-ci pour qu'elle soit visualisée de la meilleure manière en plein écran. ■

Les principaux
raccourcis clavier

Connaître les principaux raccourcis clavier permet de gagner un temps considérable lors du traitement des images. Une action nécessitant plusieurs clics de souris se réduit alors à une simple combinaison de touches.

Les raccourcis de contrôle du logiciel

Au lieu de passer par la fenêtre **Guide pratique** pour acquérir vos photos, vous pouvez aller plus vite :

- Ctrl+G : pour acquérir les clichés de votre appareil photo numérique.

- Ctrl+U : pour acquérir vos photos depuis un scanner.

- Ctrl+Maj+G : pour acquérir vos photos depuis un dossier donné.

- Ctrl+M : ouvre l'interface de recherche globale sur votre disque dur.

Affichez la fenêtre **Guide pratique** instantanément en appuyant sur la combinaison de touches Maj+F1.

Pour accéder à vos catalogues contenant vos images, utilisez Ctrl+Maj+C. Activez Ctrl+P pour accéder directement à l'interface de votre imprimante. Enfin, la combinaison de touches Ctrl+K affiche les préférences de Photoshop Album (c'est une fenêtre importante, véritable tour de contrôle de votre logiciel).

Les raccourcis de manipulation

Pour changer de mode de visualisation de vos images et la taille des vignettes affichées, vous disposez de plusieurs raccourcis. Ctrl+0 affiche de très petites vignettes, Ctrl+1 des vignettes moyennes, Ctrl+2 de grandes vignettes. Ctrl+3 offre un affichage photo par photo.

Vous pouvez aussi ranger vos photos par ordre chronologique, de la plus récente (placée en premier) à la plus ancienne (Ctrl+Alt+0), et inversement (Ctrl+Alt+1), ou les organiser par *Lot importé* (Ctrl+Alt+2) ou encore selon leur localisation de dossier (Ctrl+Alt+3). Utilisez Ctrl+Alt+C pour accéder à un calendrier complet de vos images ; elles sont alors rangées par jour de premier enregistrement, mois par mois.

Vos photos ne sont pas dans le bon sens ? Appuyez sur Ctrl+→ ou sur Ctrl+← pour opérer une rotation. Cliquez sur l'une de vos images, puis recourez à la touche F11 pour l'afficher en Plein écran.

Une fois vos images sélectionnées, vous pouvez directement les transférer sur l'espace de travail à l'aide de la combinaison Ctrl+Maj+V. Vous pouvez aussi afficher l'espace de travail en appuyant sur Ctrl+W.

Le meilleur pour la fin : si vous sélectionnez plusieurs images et appuyez sur la Barre d'espace, Photoshop Album crée pour vous un diaporama.

Gestion des fichiers
audio et vidéo avec
Photoshop Album

Outre les images, Photoshop Album est capable de gérer des fichiers audio et vidéo. Cette fonctionnalité est pratique si vous voulez associer une image à un fichier de ce type ou classer un fichier vidéo capturé par votre appareil photo numérique (en supposant qu'il dispose de cette fonction).

1 Il faut tout d'abord acquérir le fichier audio ou vidéo. Dans cet exemple, il s'agit d'un fichier audio localisé sur un disque dur. Notez qu'il est impossible d'acquérir un fichier audio directement depuis un CD audio classique. Activez le menu **Fichier/Obtenir des photos/À partir de fichiers et de dossiers**. La fenêtre correspondante s'affiche. Laissez activée l'entrée *Fichiers de support (Photo, vidéo, son)* dans le champ *Fichiers de type* en bas de la fenêtre. Cherchez dans l'arborescence de votre ordinateur le fichier désiré. Cliquez sur le ou les fichiers désirés (en conservant la touche (Ctrl) enfoncée pour effectuer une sélection multiple) puis sur **Obtenir des photos**.

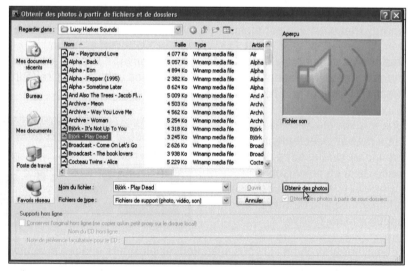

2 La fenêtre **Obtention de photos** s'affiche, vous montrant l'évolution de l'acquisition de vos fichiers. Ceux-ci se trouvent maintenant dans

Photoshop Album. Dans cet exemple, un fichier audio a été importé. Sous forme de vignette, il se présente comme une image bleue représentant un haut-parleur. Pour information, un fichier vidéo est représenté par sa première image.

3 Double-cliquez sur le fichier. La fenêtre de lecture s'affiche avec, comme intitulé, le nom du fichier correspondant. Vous pouvez lire ce fichier audio en cliquant sur les touches de lecture situées en dessous de la barre de progression.

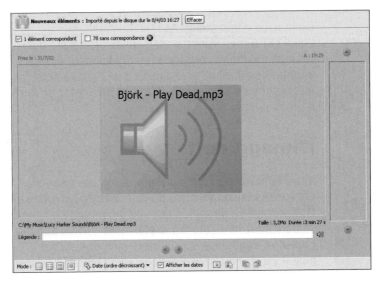

4 Des info-bulles indiquent la fonction de chaque bouton. En dessous de ces boutons de lecture se trouve une règle permettant de régler le son en sortie et le temps écoulé. ■

La taille
des images

De la taille d'une image dépend la qualité d'une impression ou d'un envoi par e-mail. Ainsi, si vous ne disposez pas d'un logiciel de retouche d'images propre à redimensionner vos clichés, il est impératif de définir la résolution d'une image, lors de sa prise de vue, en fonction de l'utilisation que vous souhaitez en faire. Cette règle est surtout valable pour l'impression.

L'image doit être imprimée

Votre appareil photo numérique, selon ses capacités, propose différentes tailles de prise de vue : basse, moyenne et haute. Si votre image doit être imprimée sur une imprimante jet d'encre grand public, sélectionnez la résolution la plus haute. Mais attention : le poids du fichier va augmenter sur la carte mémoire de votre appareil. En fait, plus il y a de pixels, meilleure est l'impression (surtout si vous apportez vos images numériques dans un labo pour un tirage sur papier photo). Les professionnels du développement photographique (qui traitent aussi bien les pellicules argentiques que les fichiers numériques !) recommandent d'utiliser des résolutions bien précises. Les données suivantes correspondent à une optimisation maximale des travaux de développement :

- pour un tirage au format 20×30 cm : résolution de 2 048×1 536 (soit environ 3 millions de pixels) ;

- pour un tirage au format 15×20 cm : résolution de 1 600×1 200 (soit un peu moins de 2 millions de pixels) ;

- pour un tirage au format 10×15 cm : résolution de 1 024×768 (moins de 800 000 pixels).

Certains magasins affichent des valeurs inférieures. Le résultat est très acceptable, mais il n'est pas optimisé au maximum.

Produits	Nombre de pixels
Tirage 9 x 13 cm	420 x 600
Tirage 10 x 15 cm	480 x 720
Tirage 11 x 17 cm	540 x 800
Tirage 13 x 19 cm	600 x 900
Tirage 20 x 30 cm	960 x 1440

L'image doit être envoyée par e-mail

Photoshop Album se charge de l'opération. Pensez simplement à bien optimiser votre image. L'outil idéal pour ce travail est la fenêtre d'exportation.

Si vous possédez une connexion à haut débit, vous n'aurez aucun problème à envoyer une image peu optimisée. Dans notre exemple, présentant une image prête à être exportée, le curseur indique une valeur de 12. L'image est de parfaite qualité.

Si le destinataire de l'image n'a pas une connexion ADSL, descendez le curseur à une valeur de 6 (vous optimisez l'image). Dans ce cas, l'image est lisible et d'un poids modeste, mais elle perd en qualité. Tout est dans l'équilibre...

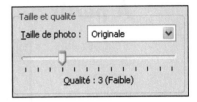

Approfondir
la recherche

Outre les fonctions étendues de recherche disponibles dans Photoshop Album, notamment via la fenêtre **Guide pratique**, vous pouvez aussi lancer une recherche plus approfondie, en spécifiant les paramètres de recherche de votre choix. Voici les différents types de recherches présents dans le menu **Recherche**, situé dans la barre de menus générale de Photoshop Album.

À partir d'une légende

Il est possible de rechercher une photo à partir de sa légende. Activez le menu **Recherche/Par légende ou remarque**. Par exemple, si

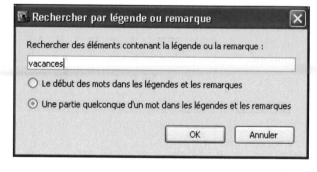

vous avez légendé une image « Vacances à la mer », entrez le mot vacances dans le champ de recherche. Photoshop Album retrouve alors les photos qui ont une légende correspondant exactement au motif de recherche saisi ou contenant ce motif.

Par nom de fichier

Vous pouvez entrer le nom du fichier que vous recherchez ou une partie du nom. Activez le menu **Recherche/Par nom de fichier**.

Via l'historique

Vous pouvez rechercher un fichier d'après sa date d'importation, si par malheur vous en avez oublié le nom. Le menu **Recherche/Par historique/Éléments importés le** propose un récapitulatif des importations effectuées et indique, pour chacune, les supports, la date et le nombre de fichiers concernés.

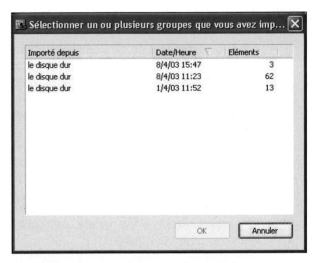

Vous pouvez aussi rechercher vos fichiers par rapport à d'autres critères : leur provenance (fichiers partagés), les images envoyées par e-mail, imprimées, exportées, commandées en ligne, partagées en ligne, utilisées dans vos créations, dans vos galeries de photos web ou encore dans vos galeries en 3D. Ces recherches se lancent depuis le sous-menu accessible via le menu **Recherche**.

Par type de média

Cette option vous permet d'afficher les fichiers image uniquement, ou bien les vidéos, ou encore les fichiers audio, voire vos seules créations, ou les images contenant des légendes audio. Activez le menu **Recherche/Par type de support**, puis sélectionnez le média voulu.

Partager
Photoshop Album

Grâce au concept de catalogues de photos personnalisés, chaque utilisateur de Photoshop Album peut retrouver son propre espace de travail contenant ses propres photos. Chaque membre de la famille peut ainsi classer ses photos et créations personnelles dans son catalogue et y accéder de manière simple et rapide.

1 Pour accéder aux catalogues disponibles, cliquez sur **Fichier/ Catalogue**. Créez maintenant votre catalogue où vous rangerez vos photos en cliquant sur **Nouveau**. La fenêtre suivante affiche les catalogues déjà présents. Entrez le nom du vôtre. Il sera enregistré au format *.psa*, qui correspond au format propriétaire des catalogues de Photoshop Album. Votre nouveau catalogue est vierge et prêt à recevoir vos photos et vos créations.

2 Une fois que chacun dispose de son propre catalogue, il est aisé de naviguer de l'un à l'autre. Activez le menu **Fichier/Catalogue** puis cliquez sur le bouton **Ouvrir**. Double-cliquez sur votre catalogue : vous vous retrouvez sur votre espace de travail personnalisé.

3 L'ensemble des paramètres (affichage et options) est conservé pour chaque utilisateur. Dans la fenêtre **Catalogue**,

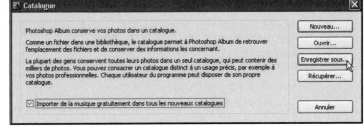

vous pouvez enregistrer, sous un autre nom, le catalogue sur lequel vous travaillez actuellement, en cliquant sur le bouton **Enregistrer sous** (comme vous le faites pour n'importe quel document à sauvegarder). Vous pouvez aussi, par ce biais, enregistrer votre catalogue dans un autre dossier de votre choix.

Pour cela, reportez-vous à la fiche *Définir un dossier de sauvegarde*.

4 Si vous êtes en train de modifier le contenu d'un catalogue, sans avoir eu le temps de l'enregistrer, et que votre ordinateur « plante » ou qu'une coupure de courant interrompe votre travail, vous pouvez retrouver ce catalogue en cliquant sur **Récupérer**. Cliquez sur OK. Photoshop Album se charge de remettre le catalogue dans l'état précédant l'incident. ■

La sauvegarde
sur disque dur

L'archivage consiste à stocker les fichiers bruts sur un disque ou sur un média amovible de type CD-R ou DVD-R.

Reportez-vous à ce sujet au chapitre *3D, CD Vidéo, archivage*

La sauvegarde permet de préserver ces mêmes fichiers, cette fois en tenant compte des attributs que vous leur avez donnés dans Photoshop Album, tels que les étiquettes. Dans certaines applications anglophones, la sauvegarde est appelée « backup ».

Pour effectuer une sauvegarde sur disque dur de la totalité de vos images, procédez ainsi :

1 Affichez les images dans l'espace de visualisation de Photoshop Album. Une fois les images présentes, activez le menu **Fichier/Sauvegarder**. Lisez le message d'avertissement qui ne se présentera qu'une fois. Dans la fenêtre **Sauvegarde** qui vient de s'ouvrir, deux possibilités de localisation de la sauvegarde sont proposées. Pour sauvegarder les fichiers sur le disque dur, sélectionnez l'option *Indiquer le lecteur de sauvegarde*.

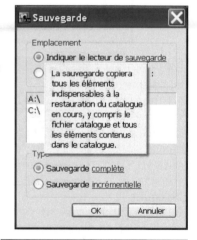

2 Dans la fenêtre située en dessous sont disponibles les lecteurs de disques durs installés sur votre machine, y compris le lecteur de disquettes. Sélectionnez le lecteur principal *C:*. Dans la rubrique *Type*, sélectionnez l'option *Sauvegarde complète*. Cette option permet de sauvegarder l'ensemble des fichiers. Validez par OK.

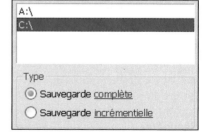

3 Dans la fenêtre **Rechercher un dossier**, parcourez l'arborescence de votre disque dur pour trouver le dossier où stocker votre sauvegarde. Vous pouvez également créer un nouveau dossier via le bouton **créer un nouveau dossier**. Une fois votre dossier de destination défini, cliquez sur OK pour lancer la procédure de backup. Photoshop Album écrit la sauvegarde, puis vous avertit de la fin de l'opération. ■

Vous allez ajouter régulièrement des images à votre catalogue. Pour mettre à jour votre fichier de sauvegarde, celui que vous venez de créer à l'étape précédente, faites apparaître toutes vos images, y compris (et surtout) les nouvelles. Lancez le menu **Fichier/Sauvegarde**, puis sélectionnez le type *Incrémentielle* pour effectuer une mise à jour.

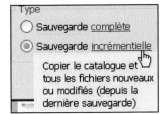

La sauvegarde
sur CD-R ou DVD-R

Voyons maintenant comment effectuer une sauvegarde sur un média amovible.

Cette procédure est comparable à celle de la fiche *La sauvegarde sur disque dur*.

Nous allons aussi vous expliquer comment récupérer une sauvegarde.

1 Affichez toutes vos images dans l'interface principale de Photoshop Album. Activez le menu **Fichier/Sauvegarde**. Dans la fenêtre **Sauvegarde**, sélectionnez l'option *Graver sur un CD ou un DVD* dans la rubrique *Emplacement*. Votre périphérique de gravure est reconnu immédiatement par Photoshop Album.

2 Dans le cas d'une sauvegarde intégrale de votre catalogue, choisissez l'option *Sauvegarde complète*. Si vous souhaitez faire une mise à jour de votre sauvegarde, choisissez l'option *Sauvegarde incrémentielle*.

Attention : cette option n'est envisageable que si le média de sauvegarde est réinscriptible.

3 Cliquez sur le bouton OK. Une nouvelle fenêtre s'affiche et vous propose d'attribuer un nom

à votre sauvegarde. Entrez ce nom dans la case prévue à cet effet. Insérez un média vierge dans votre périphérique de gravure, puis cliquez sur OK. Photoshop Album pilote la gravure et vous avertit quand celle-ci est achevée. ■

Si, suite à un crash de votre machine par exemple, vous devez réinstaller l'ensemble de vos logiciels, Photoshop Album compris, et que vous n'ayez pas effectué de sauvegarde de vos clichés, vous êtes bon pour organiser à nouveau l'ensemble de vos images. Si vous avez pris soin de faire une sauvegarde, trois clic de souris, ou presque, vous permettront de retrouver l'organisation de vos images, telles qu'elles étaient avant les dommages subis par votre machine.

La procédure est simple : activez le menu **Fichier/Restaurer**. Dans la fenêtre qui vient de s'ouvrir, recherchez votre fichier de sauvegarde. Il est soit sur le disque dur (s'il n'a pas été effacé) ou plus probablement sur un CD-Rom que vous avez pris soin de glisser dans le lecteur. Ce fichier porte une extension du type *.tly*.

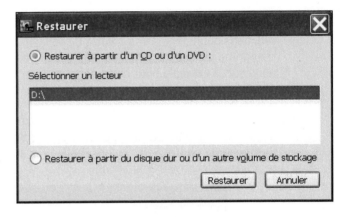

Recadrer
avec restriction

Il est simple avec Photoshop Album d'optimiser des photographies en leur apportant les soins nécessaires.

Pour en savoir plus à ce sujet, lisez le chapitre *Retouche d'images*.

Le recadrage des images est manuel et s'opère via les poignées de redimensionnement mises à votre disposition. Mais pour appliquer un recadrage particulier, il faut recadrer avec restriction. L'image qui nous sert d'exemple pour cette fiche est à votre disposition sur le site de Micro Application (www.microapp.com).

···**1** Sélectionnez l'image à recadrer dans l'interface de Photoshop Album. Cliquez sur le bouton **Retoucher** de la barre d'outils afin d'ouvrir la fenêtre **Retoucher la photo**. Sélectionnez l'option *Recadrer*. Le rectangle de recadrage s'affiche sur votre image.

2 Dans la rubrique *Recadrer*, déroulez la liste *Rapport largeur/hauteur*. Vous disposez de plusieurs choix de recadrage, tous soumis à des restrictions. Notez bien que les options proposées ne correspondent pas à des tailles en pouces ou en pixels, mais à des proportions. Ainsi, si vous choisissez un recadrage contraint du type 5x7, le rapport largeur/hauteur sera de 5 unités sur 7.

3 L'image sélectionnée ici doit être recadrée pour que le portrait du sujet soit correct. Parcourez la liste *Rapport hauteur/largeur* et sélectionnez l'option *4x6 (Portrait)*. Placez le cadre de sélection de manière à isoler la tête du mannequin.

4 Appliquez le recadrage via le bouton du même nom. Voici ce que donne l'image recadrée, avec un zoom à 100 %.

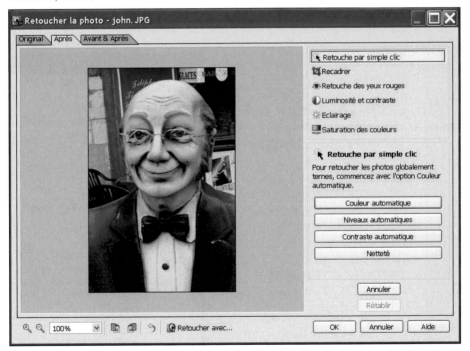

5 Vous pouvez essayer les autres modes de recadrage avec restriction. Tous doivent satisferont vos souhaits créatifs. L'option *Proportionnel*, par exemple, conserve les proportions d'un carré parfait. ■

Importer
des images volumineuses

Lorsque vous importez des images depuis un appareil photo numérique, alors que vous avez sélectionné un mode de prise de vue faisant la part belle à la quantité, et non à la qualité, la taille des images en question est relativement raisonnable. Mais si vous avez opté pour des images de grande qualité, sans compression (de nombreux appareils photo permettent d'enregistrer des images au format TIFF dès la prise de vue), leur poids risque d'être volumineux. Dans ce cas, Photoshop Album vous avertit du problème par un message du type « File is too large ». Il en est de même avec des images retravaillées sous Photoshop Elements, où une multiplication des calques ou des filtres peut aisément donner à un fichier un poids frôlant les 20 Mo. Notez que la solution de ce problème qui consiste à augmenter la taille permise pour une image est réservée aux utilisateurs avertis.

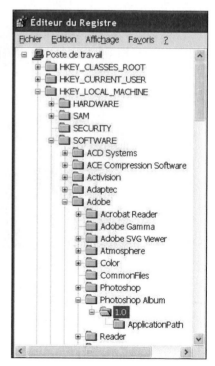

1 Fermez Photoshop Album et toutes les autres applications actives sur votre ordinateur. Cliquez sur **Démarrer/Exécuter**. Dans la fenêtre qui vient de s'ouvrir, saisissez regedit. Validez par OK.

2 Vous êtes dans la base de registre de Windows. Il convient dès lors de prendre toutes les précautions et de suivre scrupuleusement nos instructions. Dans l'Éditeur du registre, naviguez jusqu'à sélectionner la ligne HKEY_LOCAL_MACHINE/SOFTWARE/Adobe/Photoshop Album/1.0.

Fiche pratique 19

3 Le dossier 1.0 est ouvert. Activez le menu **Edition/Nouveau/Valeur DWORD**. Nommez la nouvelle clé `MaxImageSize`. Faites un clic droit sur cette nouvelle clé et choisissez l'option *Modifier*.

4 Dans la rubrique *Base*, sélectionnez l'option *Décimale*. Entrez 20971520 dans le champ *Donnée de la valeur*. Cette opération a pour intérêt de permettre un affichage d'images de 20 Mo alors que, par défaut, le logiciel importe des images de 12 Mo au maximum. Cliquez sur OK et fermez l'éditeur de registre. ■

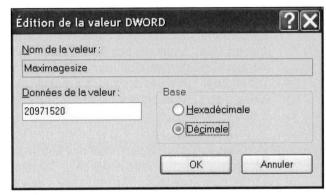

Pour incorporer dans Photoshop Album des images d'un tel poids, votre ordinateur doit disposer d'au moins 512 Mo de RAM. Notez également que la fonction **Retoucher** de Photoshop Album ne tolère pas les images au-dessus de 12 Mo. Enfin (cette remarque vaut pour tous les logiciels), moins vous disposez de mémoire RAM, plus les fichiers lourds ralentissent les processus de création, d'affichage et d'enregistrement.

Télécharger
des modèles de création

Après de longues heures passées à créer des cartes de vœux, des calendriers, des albums d'images, vous vous êtes peut-être lassé des modèles proposés par Adobe Photoshop Album. Si vous êtes connecté à Internet, vous pouvez télécharger d'autres modèles qui feront apparaître vos créations graphiques sous un nouveau jour. L'exercice suivant consiste à créer une carte de vœux électronique.

1 Dans le conteneur de photos de Photoshop Album, sélectionnez l'image qui embellira votre future carte de vœux virtuelle. L'image est bordée d'un liseré jaune. Ouvrez l'espace de travail en cliquant, par exemple, sur le bouton situé en bas de l'interface et nommé **Afficher ou masquer l'espace de travail**. Glissez l'image sélectionnée dans cet espace et lancez l'assistant de création.

2 L'assistant de création affiche l'étape 1. Sélectionnez l'option *Carte électronique* (qui se pare de bleu).

3 Cliquez sur le bouton **Télécharger de nouveaux modèles** pour lancer une connexion au Web. Une fois votre machine connectée, s'ouvre la fenêtre **Création ou modification de comptes de service**. Cliquez sur le bouton **Actualiser** pour mettre à jour la liste des services en ligne. Le temps de recherche est variable selon le débit de votre connexion. Laissez faire Photoshop Album.

4 Répondez positivement aux demandes légales qui suivent, de manière à afficher la fenêtre **Assistant des services en ligne**. Cochez la case *Afficher les instructions déjà installées*. Puis, si Adobe propose de nouveaux modèles dont vous ne disposez pas, cliquez sur **Télécharger**.

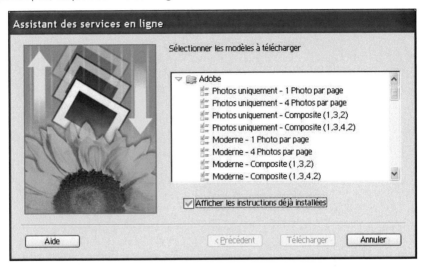

5 Après un téléchargement plus ou moins long en fonction du poids des modèles (ils ne sont jamais très lourds !) et du débit de votre connexion, la fenêtre qui suit s'affiche. Les nouveaux modèles sont prêts... Bonne création ! ■

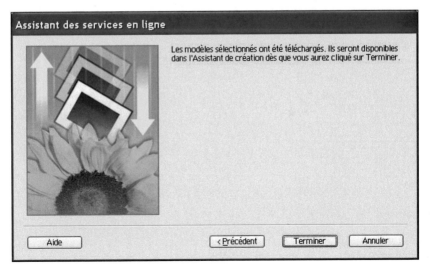

Index

Index

Imprimerie CHIRAT, 42540 Saint-Just-la-Pendue
Dépôt légal mai 2003 N° 8248

IMPRIMÉ EN FRANCE